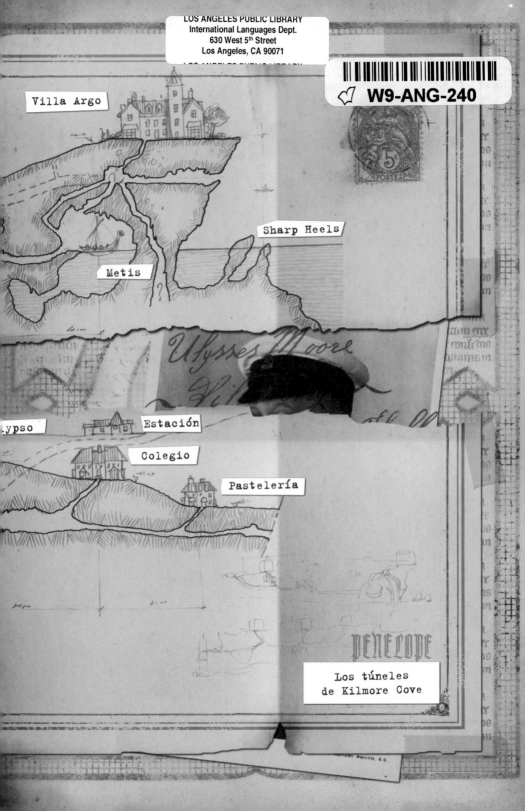

W9-ANG-240

Villa Argo

5c POSTES

Sharp Heels

Metis

Ulysses Moore

lypso

Estación

Colegio

Pastelería

PENELOPE

Los túneles
de Kilmore Cove

M

El papel utilizado para la impresión de este libro ha sido fabricado a partir de madera procedente de bosques y plantaciones gestionadas con los más altos estándares ambientales, garantizando una explotación de los recursos sostenible con el medio ambiente y beneficiosa para las personas.

Por este motivo, Greenpeace acredita que este libro cumple los requisitos ambientales y sociales necesarios para ser considerado un libro «amigo de los bosques». El proyecto «Libros amigos de los bosques» promueve la conservación y el uso sostenible de los bosques, en especial de los Bosques Primarios, los últimos bosques vírgenes del planeta.

Título original: *La prima chiave*
Publicado por acuerdo con Edizioni Piemme, S.p.A.
Adaptación del diseño de la cubierta: Random House Mondadori

Primera edición: marzo de 2009

© 2007, Edizioni Piemme S.p.A., via Galeotto del Carretto 10 – 15033 Casale Monferrato (AL) – Italia.
© 2009, Random House Mondadori, S. A.
Travessera de Gràcia, 47-49. 08021 Barcelona
© 2009, María Lozano Zahonero, por la traducción
Pierdomenico Baccalario, por el texto
Iacopo Bruno, por la cubierta original, las ilustraciones y el diseño
Derechos Internacionales: © Atlantyca S.p.A. – Via Telesio 22, 10145 Milán, Italia – foreignrights@atlantyca.it

Todos los nombres, los personajes y signos contenidos en este libro son marca registrada de Edizioni Piemme S.p.A. Su versión traducida y/o adaptada es propiedad de Atlantyca S.p.A. Todos los derechos reservados.

www.ulyssesmoore.it
www.battelloavapore.it

Printed in Spain – Impreso en España

ISBN: 978-84-8441-487-2
Depósito legal: B-3.538-2009

Compuesto en Fotocomposición 2000, S. A.
Impreso en Limpergraf
Mogoda, 29. Barberá del Vallès (Barcelona)

Encuadernado en Imbedding

GT 1 4 8 7 2

ULYSSES
LA PRIMERA **LLAVE**
MOORE

Traducción de
María Lozano

S

<u>M</u>ontena

Nota al lector

Después de un mes de preocupante silencio, Pierdomenico Baccalario ha dado por fin señales de vida. Primero nos llegó un telegrama y luego, a los pocos días, la traducción del sexto cuaderno de Ulysses Moore. Como podéis imaginar, contiene revelaciones sorprendentes… ¡Feliz lectura!

La redacción de Montena

P. D.: Si queréis saber dónde está Pierdomenico, observad con atención el sello y el matasellos del sobre.

TELEGRAM

CLASS OF SERVICE

This is a full-rate Telegram or Cablegram unless its deferred character is indicated by a suitable symbol above or preceding the address.

SYMBOLS

DL = Day Letter
NT = Overnight Telegram
LC = Deferred Cable
NLT = Cable Night Letter
Ship Radiogram

TELEGRAMA DE PETER DEDALUS

The filing time shown in the date line on telegrams and day letters is STANDARD TIME at point of origin. Time of receipt is STANDARD TIME at point of destination

Hola STOP

Perdón haberos preocupado STOP

Todo bien, pero muy cansado STOP

Llegará redacción sexto diario Ulysses STOP

No puedo adelantaros nada STOP

No me preguntéis qué ha pasado STOP

Leed La Primera Llave STOP

Después os explicaré todo STOP

THE COMPANY WILL APPRECIATE SUGGESTIONS FROM ITS PATRONS CONCERNING ITS SERVICE

MONTENA
Travessera de Gràcia, 47
08021 Barcelona
España

From. PIERDOMENICO BACCALARIO

TELEGRAM

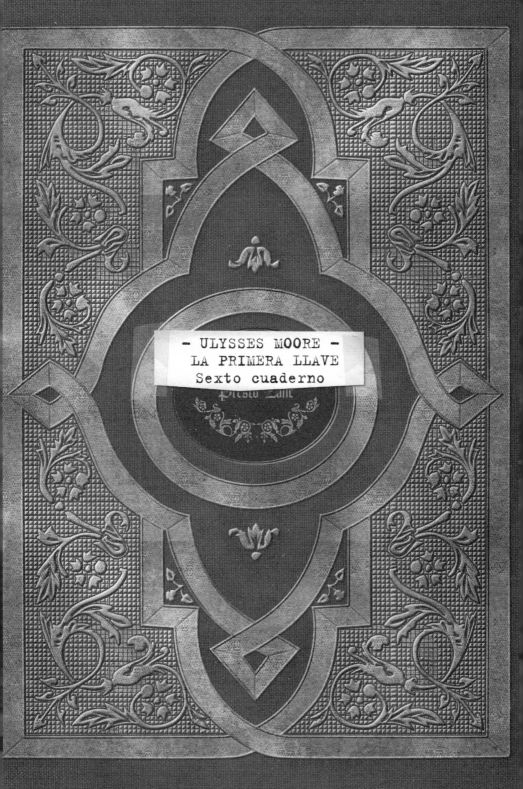

- ULYSSES MOORE -
LA PRIMERA LLAVE
Sexto cuaderno

TELEGRAM

CLASS OF SERVICE

This is a full-rate Telegram or Cablegram unless its deferred character is indicated by a suitable symbol above or preceding the address.

SYMBOLS

DL = Day Letter
NT = Overnight Telegram
LC = Deferred Cable
NLT = Cable Night Letter
Ship Radiogram

The filing time shown in the date line on telegrams and day letters is STANDARD TIME at point of origin. Time of receipt is STANDARD TIME at point of destination

HOla, viejO!

DentrO ?e pOcO recibirás visitas
pOcO gratas en Villa ArgO.
Stop.
Vigila la puerta del tiempO.
Stop.
Y detén a Oblivia ?e una vez pOr todas.
Tu amigO,
Peter

THE COMPANY WILL APPRECIAT' SUGGESTIONS FROM ITS PATRONS CONCERNING ...   RK

Capítulo (1)
- La última vela -

*E*ra una luminosa noche estrellada. El cielo, inmenso y silencioso, envolvía el infinito horizonte de una meseta encerrada entre los dientes afilados de las montañas.

Allí, invisible para quien no conociera el camino de llegada, empezaba el Jardín del Preste Juan: un gigantesco castillo encaramado sobre una roca. Los tejados coronados de almenas, los arcos, las escaleras, las cisternas y las murallas se abrazaban entre sí como niños asustados. Por las ventanas de cristales azogados, las corrientes de aire colmaban los espacios vacíos de los largos pasillos. El castillo vibraba silencioso. A través de las rejillas subterráneas cintilaban pálidos resplandores de agua. En las chimeneas encendidas ardían las brasas y de los tejados se alzaban perezosas volutas de humo. Los pavos reales del extenso jardín estaban agazapados ante la puerta de su amo, como mariposas que hubieran crecido demasiado.

De una ventana apartada del castillo salía un fuerte resplandor, que dejaba intuir una gran habitación iluminada por velas. Un hombre, de pie tras el alféizar, contemplaba la procesión de arcos crueles que se sucedían más allá del patio. Mesándose la barba, volvió a leer el mensaje escrito en el largo trozo de tela que yacía desenrollado a sus pies. Era un objeto extraño de verdad: una especie de cruce entre una alfombra y lo que, mil años después, se habría llamado «telegrama».

Decía:

¡H0la viej0!
Dentr0 ?e p0c0 recibirás visitas p0c0 gratas en Villa Arg0.
Stop.
Vigila la puerta del tiemp0.
Stop.
Y detén a Oblivia ?e una vez p0r todas.
Tu amig0,
Peter

Las velas temblaron, señal de que la única puerta de la habitación se había abierto. El hombre reconoció el rostro anguloso de su joven asistenta china. Se hicieron una reverencia.

—Tu indicación era exacta —dijo la mujer—. Los soldados han arrestado a dos intrusos.

—¿Dos? —murmuró el hombre, pensativo.

Llevó arrastrando el largo rollo de tela hasta la chimenea y lo arrojó a las llamas. La tela se tiñó de negro, lanzando un humo oscuro por la chimenea.

—Entonces tendremos que irnos los dos, amiga mía. Y será un viaje largo, me temo.

En su voz se adivinaba un cúmulo de malos recuerdos, algunos de ellos inconfesables.

La llama viva de la chimenea arrojaba lenguas doradas.

La asistenta china hizo una pequeña reverencia.

—Voy a preparar mis cosas.

El hombre esperó a quedarse solo. Luego apagó todas las velas excepto una. Apartó un tapiz, introdujo la mano en

un hueco y, procurando no poner en marcha ninguno de los mecanismos que la protegían, sacó una caja de madera adornada con una taracea dorada. La cerradura de esmalte se abrió.

Dentro había numerosas llaves, todas con forma de animal. Pero faltaban cuatro: las llaves del aligátor, la bisbita, la rana y el erizo.

El hombre se quedó sorprendido.

—Pero… ¿cómo es posible? —se preguntó, mirando otra vez dentro de la caja.

Incapaz de encontrar una respuesta, apagó la última vela encendida y desapareció en la oscuridad.

Capítulo (2)
- La escalera -

Jason cogió a su hermana del brazo y exclamó:

—¡Chist!

Julia estaba justo en mitad de las escaleras.

—¿Qué pasa? —La presión de la mano de su hermano le indicó que era mejor no hacer más preguntas.

La escalera por la que habían subido estaba a oscuras, cerrada entre paredes angostas y con el techo sumido en la oscuridad. Una antorcha ardía en lo alto de los escalones, junto a una enorme puerta cerrada de la que provenía un ruido metálico: unas manos estaban abriendo el cerrojo.

Los gemelos lanzaron una rápida ojeada a su alrededor: en el tramo de escaleras que habían recorrido no había ningún sitio donde ocultarse y les quedaban demasiados escalones por subir como para poder llegar hasta la puerta y esconderse allí. El único escondrijo eran dos hornacinas que estaban a ambos lados de la escalera y que albergaban dos grandes floreros cargados de plantas.

Jason le hizo una seña a su hermana.

Julia entró reptando dentro del hueco, agazapándose en el reducido espacio que quedaba entre el florero y el muro. Jason, por su parte, saltó por encima del otro florero haciendo crujir las plantas y cayó al otro lado con un ruido sordo. A pesar del daño que seguramente se había hecho, no emitió ni un solo gemido.

La puerta situada en lo alto de las escaleras se abrió teatralmente, con un estruendo metálico de remaches de clavos que golpearon contra la pared. Una cascada de luz llovió sobre los escalones, arrojando destellos dorados que llegaron a rozar las dos hornacinas. Julia vio la zapatilla de Jason que sobresalía del florero situado delante del suyo, pero no consiguió avisar a su hermano: en lo alto de la escalera, apareció la figura de un hombre robusto, que empezó a bajar los peldaños de dos en dos. La chica se refugió todavía más dentro de su escondite, rezando para que no los descubrieran.

—¡Despacio, Zan-Zan! —exclamó el hombre con voz atronadora—. ¿Quieres despertar a todo el castillo?

Zan-Zan entrecerró la puerta y siguió a su compinche escaleras abajo.

—¿Lo has cogido todo? —le preguntó él sin esperar respuesta.

Zan-Zan llevaba a hombros un enorme saco de seda azul, atado con dos robustas cuerdas de viaje.

—¿Y hemos colocado las trampas? —continuó el hombre. Una vez más, la mujer no contestó.

—¿Las garzas? ¿Las corrientes de aire? ¿Los conejos? Hum… sí. El laboratorio está a buen recaudo.

Pasaron junto a los floreros. La luz de la antorcha osciló y, por primera vez, la mujer habló:

—Un momento… —murmuró deteniéndose.

Julia cerró los ojos y escondió el rostro tras los puños apretados.

«Que no nos vean… que no nos vean…», rogaba con toda la intensidad de que era capaz.

Zan-Zan se acercó al florero en el que se ocultaba Jason, a uno de cuyos lados sobresalía su zapatilla de deporte.

«Que no lo vean… que no lo vean…», imploraba Julia.

Zan-Zan era china, muy bajita y llevaba un gracioso sombrero redondo y una capa corta azul que se anudaba en torno al cuello y descendía luego ensanchándose como una campana. El hombre tenía, en cambio, rasgos occidentales: una buena planta, no demasiado alto, barba oscura, un largo hábito de monje y un calzado que desentonaba con todo lo demás. Julia lo volvió a mirar con atención, segura de que la luz danzante del fuego la había engañado, pero al final se convenció: el hombre llevaba puestas unas viejas Nike.

Zan-Zan metió una mano en el florero y cogió un puñado de flores de manzanilla haciendo crujir la mata.

–No estaba segura de haber cogido bastante –dijo.

Su compinche asintió.

–Vamos. No tenemos mucho tiempo.

Los dos empezaron a bajar de nuevo la escalera.

Julia se asomó lo justo para observarlos: el monje con las zapatillas de deporte llevaba a la espalda una mochila de viaje grande y desgastada, que lograba mantener cerrada gracias a decenas de correas de cuero. Y a Julia le parecía que ya había visto aquel rostro en alguna parte.

Cuando la luz de la antorcha que llevaban desapareció al pie de la escalera, la chica salió arrastrándose de su escondite y llamó a su hermano.

–¡Se han ido! –le avisó mientras se dirigía a gatas al otro lado.

–¡Ayyy! –se quejó entonces Jason con un hilo de voz–. ¡Qué golpe!

–¡Sal! –le aconsejó Julia.

–Es fácil decirlo… –murmuró él, intentando moverse hacia uno y otro lados.

La oscuridad y la forma panzuda del florero le impedían a Julia entender cómo había logrado encajonarse ahí dentro, pero por el número de lamentos dedujo que debía de haberlo hecho de un modo bastante complicado.

Al final Jason apareció por el lado izquierdo, recuperó la zapatilla que sin saber cómo había volado hasta el rincón opuesto y se atusó el pelo lleno de hojitas y telarañas.

–Esa hornacina es una verdadera trampa –declaró.

Tras una breve consulta sobre la conveniencia o no de seguir a aquellos dos, Jason y Julia decidieron que era demasiado peligroso. Querían intentar saber primero algo más del lugar donde se encontraban.

Así que subieron los escalones que les quedaban y llegaron hasta la puerta situada en lo alto.

–Esos dos hablaban de un laboratorio –dijo Julia en el último escalón.

–Sí, lo he oído.

–Y de trampas.

–Y de garzas, corrientes de aire y conejos. Lo he memorizado.

–¿Qué querrá decir?

—Ni idea. —Jason observó la puerta, tres veces más alta que él, e intentó moverla—. Pero nosotros tenemos otras cosas que hacer. Tenemos que encontrar a Black Vulcano lo antes posible. Y volver a Villa Argo antes de que mamá y papá se den cuenta de que hemos desaparecido. Entonces, veamos. Sabemos que Black se refugió aquí después de coger todas las llaves de Kilmore Cove.

—Incluida la Primera Llave —le interrumpió Julia, no sin cierta tensión—. Y también tenemos que encontrar a Rick.

—Tranquila. Estará estupendamente, ya verás.

—Pero…

—No te preocupes por Rick. Cuando volvamos a Kilmore Cove, estará allí esperándonos y… —Jason frunció los labios en un ridículo beso.

—Estúpido —replicó ella.

Jason apoyó los dedos en el marco de la puerta y la empujó suavemente.

—No la han cerrado del todo —dijo abriendo una rendija lo suficientemente grande como para pasar.

Julia se mordió los labios.

—Jason, ¿has visto las zapatillas?

—Ajá… —comentó él pensando en otra cosa.

Pasada la puerta, se encontraron en una gran terraza coronada de almenas, en el centro de la cual crepitaban los restos de una hoguera. En el lado izquierdo, un adarve recorría zigzagueante las murallas de una ciudadela. Manchas de luz, semejantes a frutos ardiendo, punteaban otras tantas terrazas dispuestas a intervalos regulares.

De un solo vistazo, Jason contó por lo menos veinte.

El aire de la noche era seco y en absoluto frío. El cielo, iluminado por la enorme luna llena que brillaba en el horizonte, despedía resplandores perlados.

—¿Me estás oyendo?

—Claro —respondió Jason a su hermana, acercándose al parapeto almenado de las murallas y asomándose por él para echar una ojeada hacia abajo.

Fue cuestión de un segundo. El chico rápidamente dio marcha atrás.

—¡Atiza!

Julia se deslizó a su lado. Y sintió que una sensación de vacío le cortaba el aliento. La terraza se abría sobre un abismo insondable. Ante sí y a sus pies no había más que la oscuridad. En muchos metros no se distinguían más que tinieblas verticales, vibrantes y suspendidas.

—Caray… —murmuró—. Estamos a mucha altura, ¿eh?

Pero, a diferencia de Jason, Julia consiguió dominar el vértigo y observar mejor la topografía del lugar. La ciudadela del castillo yacía al borde del precipicio como una enorme serpiente dormida, recostada en la cima. Más allá de las murallas, se abría un salto de unos centenares de metros que protegía un valle. Y, al pie del precipicio, brillaban algunas luces lejanas, hacinadas las unas sobre las otras como hormigas. Provenían de una pequeña ciudad al amparo de las rocas.

—Jason, ¿sigues ahí?

A la luz de la hoguera, el rostro pecoso del chico era de una palidez espectral.

—¿Te pasa algo? —le preguntó su hermana.

—No, no —mintió él, intentando disimular—. ¿Por qué lo preguntas?

—¿Tienes vértigo? —insistió su hermana.

Jason cruzó los brazos en un gesto de orgullo.

—¿Estás de broma?

—¿Has visto qué salto? Estaremos a cien, quizá doscientos metros del suelo. Unas dos o tres veces el acantilado de Villa Argo…

—Julia, por favor… —le suplicó su hermano gemelo, palideciendo aún más—. Creo que no… me encuentro… bien.

Julia corrió a sujetarlo.

—¿Te da vueltas la cabeza?

—Un poco. Y también… el estómago.

—Vértigo.

—¡No puede ser! Yo nunca he tenido vértigo…

—Será algo momentáneo. A lo mejor después de la caída…

—A lo mejor… —Un rápido temblor recorrió las piernas de Jason y su hermana lo acompañó hasta la pared situada en la parte más interna de la muralla.

—Apóyate aquí, con las palmas de las manos bien abiertas. ¡Todo va a ir bien! Siente la solidez de esta piedra: no te puede pasar nada. Y, además, esto no es un verdadero precipicio. Es solo… un saltito.

–Julia… –gimió su hermano. Y señaló algo delante de él.

–¿Qué? –preguntó ella–. ¡Oh, porras! –exclamó después, dando un respingo y llevándose las manos a la boca.

A pocos pasos de ellos había un hombre muerto. Iba vestido como un soldado medieval y estaba recostado en el muro del adarve, con la cabeza reclinada sobre el hombro, las piernas extendidas y abiertas y los brazos en torno al asta de una alabarda.

–¿Es un guardia? –balbuceó Jason.

–¡Lo han matado esos dos! –aventuró Julia–. A lo mejor eran unos asesinos…

–¿Que van recogiendo manzanilla? Me parece extraño.

–Él llevaba zapatillas de deporte.

–Sí. Y un móvil.

–¡No es broma! ¡Eran iguales que tus viejas Nike!

Jason respiró, recuperando algo de color.

–Pero ¿has echado un vistazo a tu alrededor? ¿No ves como va vestido este? ¡Estamos en plena Edad Media!

–Te digo que…

El chico se levantó y se acercó al soldado:

–Mira: túnica, capa, cota de malla y cimitarra.

–Es una alabarda –puntualizó Julia–. ¿Qué haces?

–Miro a ver si está muerto. –Jason apoyó la palma de la mano en la coraza del hombre. Después, molesto porque no lograba sentir nada, le soltó la muñeca, con lo que la alabarda se deslizó entre dos almenas, permaneciendo allí en equilibrio. Le sacudió un poco el brazo y después dictaminó, al-

zándolo–: No está muerto. Está vivo. Siento los latidos de su corazón. –Se agachó para olerle el aliento. Olía a manzanilla–. Solo está dormido.

–Propongo que nos vayamos antes de que se despierte.

Jason asintió.

–Buena idea. ¿Adónde?

Su hermana le señaló el adarve:

–Si no queremos volver al claustro, yo diría que esa es la única dirección posible.

–Vale. –Al alejarse del soldado, Jason hizo un movimiento torpe y tropezó con el asta de la alabarda.

–¡Jason! ¡Cuidado!

El arma se levantó y cayó fuera de la muralla.

–¡Oh, no! –gritó Jason, intentando recuperarla de un salto. Pero en cuanto miró hacia abajo sufrió otro ataque de vértigo.

Jason perdió el equilibrio, se fue hacia atrás y se cayó al suelo de culo. Se agarró a su hermana e intentó volver a ponerse de pie.

–Se me ha escurrido… –murmuró.

–No importa. No pasa nada.

–Sí. No pasa nada –repitió él preocupado–. Estoy aquí. Deja que coja un poco de aire y… nos vamos.

Capítulo (3)
- Las campanas de St Jacobs -

Gwendaline Mainoff estaba sentada al volante de su utilitario azul claro, incapaz de quitar las manos de él. El coche estaba parado, el motor apagado y solo el limpiaparabrisas arañaba el cristal a intervalos regulares de cinco segundos. No llovía. La mirada de la peluquera de Kilmore Cove estaba fija en el vacío. Tenía la boca entreabierta.

—¿Me he equivocado? —se repitió por enésima vez—. ¿He hecho algo malo?

En su cabeza reinaba la indecisión.

La señora Covenant había sido muy amable. Oblivia, por el contrario, se había comportado de manera decididamente incorrecta. La había engañado, eso es lo que había hecho. La había tratado como a una niña.

—¡Tengo treinta y dos años! —dijo Gwendaline a su reflejo borroso en el parabrisas. Bajó el parasol, pero lo cerró en cuanto recordó que no tenía espejo. Agarró el espejo retrovisor y lo colocó para poder mirarse fijamente a los ojos.

«Soy adulta y guapa», pensó como cada vez que se miraba al espejo. Después intentó analizar mejor lo que había sucedido.

—Me habían dicho que tenían que entrar en la casa solo un momentito. Que Manfred quería ver una puerta para su colección… —Los dedos de la chica se fueron extendiendo uno a uno en su intento de enumerar los hechos.

—Él estaba conmigo. Después Oblivia lo llamó mientras yo estaba acabando el tinte de la señora Covenant. Él se fue y no volvió. La señora Covenant me preguntó dónde se ha-

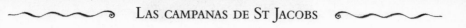

bía metido mi ayudante y yo tuve que mentir, decir que se había ido al pueblo andando. Aunque en realidad no tengo ni la más remota idea de adónde se fue. Y aquí en la peluquería no está. ¿Entonces?

Ocho. Cuando le quedaban dos dedos para llegar al final, Gwendaline comprendió que algo no cuadraba. Que había sido una ingenua al fiarse de Oblivia. «Una tonta», habría dicho su madre, si se lo hubiera contado.

—Una tonta —repitió su reflejo en el espejo retrovisor.

Era casi la hora de cenar. Fuera, la carretera de Kilmore Cove crepitaba de luces nocturnas y olía a frito: al otro lado de la carretera, la señora Fisher había echado en el aceite hirviendo la habitual montaña de patatas fritas con la que esperaba contentar a sus siete hijos. Un perro ladraba a lo lejos, en espera de su dueño.

—¿Y si hubieran robado algo? —pensó Gwendaline en voz alta—. Mientras yo mantenía ocupada a la señora Covenant, ellos podían moverse tranquilamente por toda la casa y…

Sobrecogida por esa nueva idea, empezó a mordisquearse los nudillos de las manos, hasta que se hizo daño. Miró la señal de sus dientes en los dedos índice y corazón de la mano izquierda y movió la cabeza.

—¡No quiero que piensen que soy una ladrona! —exclamó. Golpeó el volante haciendo sonar el claxon—. ¡Traidor! ¿Por qué me has puesto en este aprieto, eh?

El objeto de este desahogo era, naturalmente, Manfred. El hombre con la cicatriz a quien había salvado en la playa

de Whales Call, llevado a casa, acomodado en el sofá, cuidado y mimado.

El hombre que la había hechizado con sus delirios fantásticos de viajes a Venecia, Egipto y otros lugares exóticos.

¡Hechizado y… engañado!

Gwendaline estaba empezando a ponerse furiosa de verdad. Volvió a aferrar el volante, como si esa circunferencia forrada de piel de color azul pudiera procurarle la solución a todos sus dilemas. Porque, al fin y al cabo, la cosa ya no tenía remedio: a Villa Argo habían subido tres, pero solo había bajado ella. En lo alto del acantilado las luces estaban encendidas. Fueran cuales fuesen las intenciones de la señorita Oblivia y de Manfred, era ya demasiado tarde para averiguarlo.

Lo único que se podía hacer era pedir disculpas.

Y asegurarse de no estropear las cosas más todavía.

—Razona, Gwendaline… —se impuso la joven peluquera. Esperó a que el limpiaparabrisas hiciera su recorrido seis veces y después se dijo—: Se lo cuento a mi madre… —Y, sin siquiera completar la idea, pasó a analizar la siguiente hipótesis—: Si llamo a los Covenant o vuelvo a su casa… me juego una clienta, como me llamo Gwendaline. ¿Y si avisara al agente Smithers?

Era una posibilidad. Pero ¿cómo? ¿Por teléfono? Smithers la habría reconocido enseguida. Podría mandarle un mensaje anónimo, uno de esos collage con letras recortadas de los periódicos y pegadas una detrás de otra. Pero el pe-

gamento bajo las uñas era una de las cosas que Gwendaline no podía soportar. ¿Y entonces?

La idea le llovió del cielo. Para ser más precisos, le llegó a través de los oídos: el repicar de las campanas de la iglesia de St Jacobs.

—¡El padre Phoenix! —exclamó la peluquera, radiante.

Arrancó, apagó el limpiaparabrisas, puso el intermitente y dio un giro de trescientos sesenta grados en mitad de la carretera, esquivando por los pelos a uno de los gatos de miss Biggles, que se refugió en lo alto de una farola.

Hacía años que Gwendaline no se confesaba, pero cuanto más lo pensaba, la idea de que la perdonaran por lo que había hecho o podía haber hecho le parecía sin lugar a dudas la mejor solución para salir del aprieto sin mancha alguna.

Y, además, el padre Phoenix no era un charlatán. Al contrario: era una persona austera, recta y profesional. Y no se lo contaría a nadie.

Después de aparcar en la placita de la iglesia, Gwendaline se dirigió hacia la sacristía, aún iluminada, e intentó acordarse de la liturgia de la confesión. Miró hacia arriba. Bajo los canalones, donde quizá había quedado atrapado el último calor del día, algunas palomas se arrullaban.

—¿Bastará confesar un solo pecado? —pensó en voz alta, llamando a la puerta del padre Phoenix—. ¿O será mejor que me invente algún otro aunque solo sea para quedar bien?

Capítulo (4)
— Dagoberto de los
Astutos de los Tejados —

*J*ason, sintiéndose ya más seguro en el adarve y manteniéndose rigurosamente arrimado al muro interno, fue recuperando poco a poco su habitual firmeza. Y sus pasos se hicieron más decididos.

Julia, que avanzaba a su lado, no hablaba mucho. Miraba el paisaje nocturno que se extendía como un mar negro bajo sus pies, sin límites aparentes. Y mientras una gran luna blanca rodaba fuera de las montañas como una bola de billar, descubrió un valle yermo, sin casas ni caminos. La única población estaba formada por unas casitas que surgían al amparo del precipicio, semejantes a cajas volcadas unas sobre otras.

Jason, por su parte, observaba cómo la luz de la luna vestía de plata decenas de tejados, edificios, arcos, estatuas y fuentes, torres, árboles centenarios, patios pequeños y grandes, pasadizos, chimeneas y ventanas, en la parte interior de las murallas.

Cerca de la segunda terraza, los dos gemelos oyeron el crepitar de una nueva hoguera. Siguieron andando a gatas, sin hablar. Y recorrieron los últimos metros reptando, con el vientre pegado al suelo.

Cuando aparecieron en la terraza, el calor de las llamas los acogió con una caricia tranquilizadora. Lanzaron una mirada escrutadora sin advertir ningún peligro: en la parte opuesta, de hecho, un segundo soldado yacía en el suelo.

—¡Este también está dormido! —exclamó Jason en cuanto lo vio.

A la espalda del soldado había una escalerilla empinada con unos peldaños labrados en la piedra que descendían hasta un camino interior.

—¿Vamos por aquí?

—No sé. Vamos a ver…

Jason se sentó en el suelo y abrió el cuaderno de Ulysses Moore. Empezó a hojearlo, saltando las primeras páginas escritas y concentrándose en los numerosos y pequeños planos de la parte central. Eran recorridos trazados con un lápiz rojo que atravesaban un laberinto de galerías subterráneas, habitaciones, escaleras y sótanos. En cada giro había una sucinta explicación: a la derecha, abajo, busca la puerta.

Cada recorrido se distinguía de los otros por dos nombres, que correspondían a sendas X de color rojo. El punto de salida y el de llegada, como en una especie de carrera.

—«De la Tienda Repiqueteante a la Cocina de los Mil Fuegos… —leyó Jason, hojeando las páginas—. Del Lugar de Messer Latta a la Escalera del Observador. De la Sala del Gran Consejo a la Biblioteca de los Lamentos…» Pero ¿se puede saber qué clase de sitios son estos?

Julia miró a su alrededor, buscando un punto de referencia. Le señaló a su hermano dos torres que sobresalían en la oscuridad como las manecillas de un reloj.

Jason se puso a hojear con impaciencia el cuaderno.

—«Jardín de los Pavos Reales, Sótano del Embustero, Granchimenea, Salón de las Danzas Grises, Palacio de las Almohadas Aulladoras…», pero ninguna torre.

—¿Terrazas? —sugirió Julia.

—«¿Terraza Chorreante? ¿Balcón de los Cuatro Vientos? ¿Mirador del Águila Cansada?»

—Busca el claustro.

—Buena idea.

—Buena idea, ¿qué? —saltó Julia.

—Ir a buscar el claustro.

—¡No te he dicho que vayas a buscar el claustro!

Jason levantó un instante la mirada del cuaderno.

—De todas formas, es una buena idea.

La hoguera crepitaba a sus espaldas y sus cuerpos proyectaban una larga sombra negra.

—«¡Claustro del Tiempo Perdido!» —exclamó alegre Jason, dándole con el cuaderno en las narices a su hermana—. ¿Has visto como sí que está?

—Pero ¿será ese?

—Tiempo perdido… Puerta del Tiempo… En el dibujo el recorrido pasa por las escaleras de las murallas.

—Entonces es ese.

—Y llega… —Jason dio la vuelta al cuaderno— hasta la Boca de Lava.

—¿Y qué es lo que se nos ha perdido en la Boca de Lava?

—Podría ser un punto de partida para buscar a Black… Vulcano.

Julia se encogió de hombros, escéptica.

—O a lo mejor una vez allí… —Jason pasó hacia atrás unas cuantas páginas—, podríamos coger el camino que va de la

Boca de Lava a la Granchimenea o… a la Fuente de la Eterna Juventud.

—¿Jason? —le preguntó su hermana.

—¿Qué?

—¿Tú también lo has oído?

—No. ¿Qué?

—Como un… —Julia movió la cabeza—. No importa. Me habré equivocado.

Jason bajó el primero. Julia miró por última vez a su alrededor, antes de seguirlo por los estrechos escalones esculpidos en la piedra.

Cuando los dos hermanos se alejaron, desde el precipicio lanzaron un gancho metálico atado a una fina correa de cuero. El gancho se clavó en una grieta de la piedra como si fuera la garra de un ave y la cuerda se tensó. Una minúscula figura apareció en el exiguo espacio que quedaba entre las dos almenas. Después de comprobar que no había nadie, saltó a la terraza. Recogió el gancho con un movimiento seco de muñeca y se enrolló la cuerda al hombro, junto con las otras.

No era más que un niño. Se acercó sigilosamente al guardia dormido y le robó la bolsa con las monedas.

Después se dirigió a los escalones. Echó una ojeada a la oscuridad que reinaba escaleras abajo, aguzando el oído para detectar el más mínimo ruido. Oyó la voz de Jason que aconsejaba girar a la derecha. Y fue en busca de ella.

Los dos chicos giraron innumerables veces, atravesaron jardines umbríos, recorrieron largos pasillos desiertos, salas decrépitas y rincones abandonados a los que no llegaba ni siquiera la luz de la luna. Se detenían cada vez que oían acercarse a alguien. Un viejo solitario, que vagaba en busca de quién sabe qué. O una patrulla de soldados aburridos, que estaba haciendo la ronda.

Para orientarse, Jason y Julia usaban el cuaderno y las placas de madera que identificaban las casas, las calles, las avenidas y los patios. Por lo demás, la oscuridad les impedía guiarse por referencias visuales. El campanario que parecía estar en lo alto, después de algunas vueltas tortuosas parecía que estuviera abajo, mientras que la puerta que parecía cercana se alejaba cada vez más con cada nuevo escalón.

Al final, el recorrido dibujado en el cuaderno se acabó. Y llegaron a la Boca de Lava.

Era una habitación grande, gris y rectangular, iluminada por un lucernario que arrojaba un haz de luz plateada sobre el suelo. El techo, bajo, estaba teñido de humo y el lado más largo estaba ocupado por una inmensa boca de fuego negra con una enorme chimenea. Sobre las brasas recién apagadas, había decenas de rejillas que emanaban un olor a carne y a grasa derretida.

—Hum… qué sitio tan alegre… —comentó Julia, mirando a su alrededor desconsolada.

—A mí me ha abierto el apetito —dijo a su vez Jason, acercándose a la chimenea.

Los rescoldos conservaban aún algo de calor, y en las rejillas ennegrecidas habían quedado abandonados algunos trozos de carne ya hecha.

—Jason… —lo llamó su hermana en voz baja. Recorrió la pared opuesta a la chimenea y descubrió una abertura que conducía a una segunda habitación, de la cual provenían ronquidos confusos. Se asomó para mirar y le pareció reconocer los bultos de una decena de personas dormidas, una junto a otra. Del techo colgaban unos ganchos puntiagudos que se balanceaban perezosamente.

En ese momento, de la rejilla de la chimenea llegó un chirrido, seguido del grito ahogado de Jason.

Julia se giró preocupada, pero, por suerte, los cocineros siguieron durmiendo, dando vueltas perezosamente entre las mantas. La chica se alejó de puntillas y fue hasta su hermano.

—¿Te has vuelto loco? —le recriminó, señalándole la puerta—. Ahí hay al menos diez personas.

—Un poco dura, pero exquisita… —masculló Jason, arrancando un trozo de carne del hueso carbonizado y ofreciéndole el resto—. ¿Quieres probarla?

—¡Jason!

—¿Qué pasa? —prosiguió él—. Solo es carne. ¡Y me estaba muriendo de hambre!

Julia respiró con calma durante cinco segundos y después le recordó:

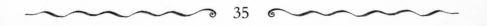

—No hemos venido aquí a comer.

—¡Pero tampoco a morirnos de hambre! Si tienes una idea mejor… Podemos ponernos a dormir también nosotros, si prefieres. O si no, les pedimos información.

—¿Para que nos arresten como a Oblivia?

Jason forcejeó unos instantes con un bocado más duro que los otros.

—Pues no, claro.

—Déjame el cuaderno, mejor.

El chico levantó la cadera derecha, indicando a su hermana el bolsillo de los pantalones.

—Cógelo tú. Tengo las manos sucias.

Julia cogió el cuaderno y fue a colocarse bajo la luz de luna.

—Tenemos que pensar… No podemos movernos por el castillo sin un plano.

Jason se limitó a asentir, concentrándose en masticar su trozo de carne.

Julia continuó:

—Sabemos que Black Vulcano, para venir aquí con todas las llaves de Kilmore Cove, ha usado la puerta que está en el tren de la eterna juventud.

—Exacto.

—Mientras que nosotros hemos usado la Puerta del Tiempo de Villa Argo.

Jason se alejó para ir en busca de otro pedazo de carne.

—¿Y bien?

–Pues… nosotros hemos aparecido en el Claustro del Tiempo Perdido, mientras que Black… –Julia empezó a hojear el cuaderno–. Debe de haber llegado aquí por algún otro lado.

–¿Por dónde?

–Pensemos –siguió la chica, dándoselas de hermana mayor–. En Egipto, por ejemplo, nosotros aparecimos en los almacenes de la Casa de los Huéspedes…

–Sí. Y después tú pusiste pies en polvorosa.

–Mientras que Oblivia llegó a través de la puerta de miss Biggles.

–Justo a tiempo para robarnos el mapa…

–Robaros.

–¡Ay! –se quejó Jason, inclinado sobre la chimenea.

–Pero ¿se puede saber qué estás haciendo?

–Quema –respondió él, hincándole el diente a una chuleta en la que la grasa reseca parecía cera.

–Das verdadero asquito.

–Sigue.

–Venecia: por la Puerta del Tiempo llegamos a Casa Caboto…

–Mientras que Oblivia llegó a través de la Puerta de la Casa de los Espejos y salió por otro lado completamente distinto –continuó Jason–. Muy bien, pero ¿adónde quieres ir a parar?

–¿Adónde dará en este castillo la Puerta del Tren de la Eterna Juventud?

Jason mordió la chuleta.

—¿Quizá a la fuente de la eterna juventud?

—Puede ser. —Julia se puso a hojear el cuaderno—. ¿Dónde está el camino que habías visto antes?

—No te des la vuelta —respondió con un hilo de voz.

Julia alzó lentamente la mirada.

—¿Qué?

—A la de tres… —continuó Jason, mirando fijamente algo que se encontraba detrás de su hermana—, corre hacia la salida.

Julia alzó los hombros preocupada, pero su hermano no le dejó tiempo para darse la vuelta.

—Uno… ¡No te des la vuelta! Dos…

En ese momento, una voz todavía rota por el sueño exclamó:

—¡Eh, vosotros dos! ¿Quién diablos sois?

—¡Y tres! —completó Jason, precipitándose a toda velocidad hacia la salida.

En un abrir y cerrar de ojos, los dos hermanos salieron disparados como una flecha hacia la oscuridad, mientras el hombre que estaba en la Boca de Lava se desgañitaba:

—¡Ladrones! ¡Malditos ladrones! Pero os atraparemos a todos…

Siguió un auténtico alboroto. Los dos hermanos se lanzaron por un callejón tortuoso. Jason fue hacia la derecha, Julia hacia la izquierda. Cuando se dieron cuenta, se detuvieron, indecisos sobre qué dirección escoger.

–¡Por aquí! –gritó Jason.

–No, ¡por aquí! –replicó su hermana.

–Venid conmigo, mejor… –dijo una tercera voz, por encima de ellos.

–¿Quién ha sido? –preguntó Julia, mirando a su alrededor.

Una figura diminuta se balanceó por encima de sus cabezas y cayó sobre el suelo empedrado. Recogió la cuerda de la que estaba colgado y dijo:

–Puedo ayudaros, si me seguís. ¡Deprisa!

Ojos claros, de lobo, casi blancos. Manos pequeñas y ágiles. Era un muchacho de nueve o diez años, como mucho, vestido con un extraño traje de harapos cosidos entre sí. Enrolladas a la cintura y alrededor de los hombros, llevaba unas cuerdas oscuras rematadas por pequeños garfios puntiagudos.

Jason y Julia no se lo hicieron repetir dos veces: siguieron al muchacho en la penumbra sin rechistar. Fueron corriendo hasta el final del callejón, después por otro aún más angosto, y desde allí por una pequeña puerta con forma de boca de hipopótamo y hacia arriba por una escalera de caracol que ascendía como un sacacorchos. Su guía, ágil y silencioso, alzó una trampilla y se coló por ella. Bajo un techo apuntalado, corrió agachado entre las vigas de leño que sostenían las losas de piedra oscura. Vio la boca redonda de una claraboya. Y salió al aire libre.

–No vayáis a resbalar –dijo su misterioso salvador, trepando por el tejado inclinado.

Julia, detrás de él, miró hacia abajo, preocupada por el vértigo de Jason. Pero su hermano estaba tan fascinado por lo que estaba pasando que no se había dado cuenta siquiera de que corría por un tejado suspendido en el vacío.

El chico de los ojos blancos trepó hasta el punto más alto del tejado y después se deslizó a gatas hasta una enorme chimenea. Giró a su alrededor y saltó a otro tejado que conducía a una torre cuadrada, sobre la que crecían dos olivos negros. Esperó a que llegaran Jason y Julia, y luego, con un movimiento fluido, desenrolló una de las cuerdas con las que iba ataviado y la lanzó hacia arriba, enganchándola en un saliente de la torre.

Se la pasó a Julia, después lanzó una segunda cuerda para sí y trepó con la agilidad de un mono.

—Venga —le dijo Jason a su hermana, sosteniendo la cuerda por abajo.

Julia se agarró a la cuerda, colocó los pies en la pared de la torre y trepó.

Subió velozmente, saltó el parapeto y luego se asomó para observar a Jason.

Pocos segundos después estaban los dos sobre el seguro suelo de la torre, bajo las ramas retorcidas de los dos olivos.

Su ángel de la guarda recogió la cuerda y se la enrolló rápidamente en torno al cuerpo.

—Quienquiera que seas, gracias —le dijo Jason.

El muchacho no respondió. Se agachó en un rincón y se puso a mirar los tejados puntiagudos, las torres, los arcos y los edificios oscuros del castillo. Después, cuando quedó satisfecho de su exploración, se dio la vuelta hacia los dos gemelos.

—¿Quiénes sois? —preguntó, sentándose con las piernas cruzadas.

—¿Quién eres tú? —replicó Julia—. ¿Y por qué nos has ayudado a escapar?

—No me gustan los hombres del Preste —respondió, controlando las puntas de sus ganchos—. ¿Sois ladrones?

—¡No! —exclamó Julia.

El chico arqueó una ceja, sorprendido.

—Pues entonces, ¿qué sois?

—Somos simples viajeros.

—Yo me llamo Jason.

—Yo soy Dagoberto —respondió el muchacho, mirando a Julia con sus ojos claros.

—Yo soy su hermana, Julia.

—¿Cuántos años tenéis?

—Once. ¿Y tú?

El muchacho movió la cabeza.

—No lo sé.

—Y tú, Dagoberto, ¿qué haces aquí? —le preguntó Jason.

—Os estaba siguiendo.

—¿Y por qué?

—Curiosidad. Habéis despertado mi curiosidad. Y casi habéis acabado conmigo en las murallas.

—¿Cuándo?

—Cuando me habéis tirado encima una alabarda.

—¿Estabas fuera de la muralla?

—Claro —respondió Dagoberto, haciendo tintinear los ganchos metálicos.

Julia se tomó su tiempo y luego se levantó para acariciar los troncos de los olivos.

—¿Qué sitio es este? —preguntó.

—Torre de la Paz —respondió Dagoberto.

—Conoces bien el castillo.

—No mejor que mis compañeros. Cada uno conoce una parte. Y tiene sus refugios secretos. —Dagoberto olisqueó el aire—. No lo entiendo. No apestáis a alcantarilla.

—¿Por qué deberíamos?

El chico resopló, impaciente.

—No sois de los míos, así que deberíais ser Ladrones de las Alcantarillas.

—¿Ladrones de las Alcantarillas? ¿Y quiénes serían los tuyos?

—Los Astutos de los Tejados —respondió el muchacho.

Julia estaba cada vez más irritada por la conversación.

—¿Quieres decir que tú eres un ladrón?

—Quinto año de escalada.

La chica puso los ojos en blanco.

—¿Cómo?

—Pues que hace ya cinco años que el abad Chimenea me enseñó a trepar con las cuerdas. Y desde entonces, no le he decepcionado nunca.

Los dos hermanos intercambiaron una mirada de preocupación.

—¿El abad Chimenea?

—El Señor de los Tejados. Y ahora contadme vosotros
—añadió el muchacho de los ojos blancos.

Julia optó por una respuesta evasiva.

—Somos viajeros, como ya te he dicho. Y estamos aquí
para buscar a una persona.

—¿Viajeros? ¿Y cómo habéis logrado subir a la ciudadela?
¿Tenéis un pase?

—No exactamente.

—No os creo. Aunque la verdad es que no parecéis emi-
sarios de la iglesia, entre otras cosas porque tú eres una chica —dedujo Dagoberto, mirando fijamente a Julia.

Ella se limitó a lanzar un bufido.

—¡Ya lo tengo! —prosiguió el ladrón—. Sois hijos de mercaderes. Pero ¿de qué? ¿De pimienta? ¿Café? ¿Esclavos?

—Nosotros somos… —se entremetió Jason, pero su hermana lo interrumpió, impidiéndole completar la frase.

—Claro —dedujo el chico—. Cuando los mercaderes no
quieren hablar, se trata siempre de mercaderes de seda.

—Digamos que estamos aquí de incógnito… —dijo Julia,
intentando cortar la conversación.

Dagoberto escrutó el rostro de Jason, que a punto estuvo de contarle con pelos y señales lo que hacían allí.

—Habéis dicho que estabais buscando a una persona…

—Exactamente —respondió Julia, que estaba a la defensiva.

–Si la buscáis de noche, cuando hay toque de queda, quiere decir que os urge mucho encontrarla.

–Pues sí.

–Y está claro que no conocéis la ciudadela… –Dagoberto se levantó y se puso a caminar a lo largo del perímetro de la torre–. O sea, que os hace falta alguien que la conozca. Y ese alguien soy yo.

A Julia los modales de aquel ladronzuelo empezaban a sacarla de quicio.

–Pero para que os preste ayuda, tenéis que convencerme.

–¡Venga! –probó Jason–. Será divertido…

–No estoy aquí para divertirme –replicó Dagoberto–. Yo trabajo de noche. Y quien trabaja de noche tiene que recibir una recompensa.

–¿Qué quieres a cambio de tu ayuda? –le preguntó Julia.

–¿Tenéis dinero?

–Hablar de dinero con un ladrón es tentar al diablo.

–Tienes razón. Pero yo creo que no tenéis ni una moneda.

Julia intentó sostener su mirada, pero el rostro de Jason respondía por los dos.

–¿Y?

Dagoberto se ocultó entre las sombras antes de contestar.

–No tenéis dinero… No tenéis joyas… –Se pasó un dedo por los labios, fingiendo pensar–. Podríais darme el cuaderno negro que estabais hojeando.

Julia puso automáticamente una mano encima del bolsillo en el que había metido el cuaderno de Ulysses Moore.

–Eso no. No podemos.

El muchacho lanzó una cuerda fuera de la torre. –Pues qué pena. En ese caso me temo que tendré que despedirme…

–¡Espera! –lo llamó Jason, deteniéndolo–. Ese cuaderno no es nuestro. Es de un amigo que se enfadaría muchísimo si lo perdiéramos. Pero podemos… dejártelo leer.

Dagoberto se quedó pensativo unos instantes, con una pierna ya en el vacío. Después volvió a entrar en la torre y contestó:

–Trato hecho. Decidme a quién estáis buscando.

Jason se dio la vuelta hacia su hermana y la miró, invitándola a continuar.

–A Black Vulcano –susurró Julia, muy a su pesar.

–Black Vulcano –repitió el ladrón–. Black Vulcano…

–¿Lo conoces?

–Decidme algo más. A lo mejor lo conozco por otro nombre.

–No sabemos mucho más –reconoció Jason–. Debería ser un tipo robusto, con una larga barba. Vive aquí desde hace algunos años.

–Hay miles de personas así.

–Le gusta el fuego. Y las máquinas. Artilugios mecánicos que se mueven solos. Era un empleado de los ferrocarriles.

–O sea, ¿que es una especie de herrero?

–Algo parecido, pero hace máquinas enormes.

–Las mujeres son su punto débil… –farfulló Julia un poco avergonzada.

El ladrón de ojos de lobo enumeró con los dedos la información recibida:

—Robusto, con barba, le gusta el fuego, el hierro y las mujeres. No es mucho, para encontrar a una persona.

—Las llaves —masculló entonces Julia, como si pronunciar esas palabras le hubiera costado un gran esfuerzo—. Podría tener algo que ver con llaves.

Al oír esto, el rostro de Dagoberto se iluminó y sus ojos claros resplandecieron a la luz de la luna.

—¡Pues claro! ¡Ya sé quién es! Vamos. Sé cómo llegar hasta él.

Capítulo (5)
- Candado Negro -

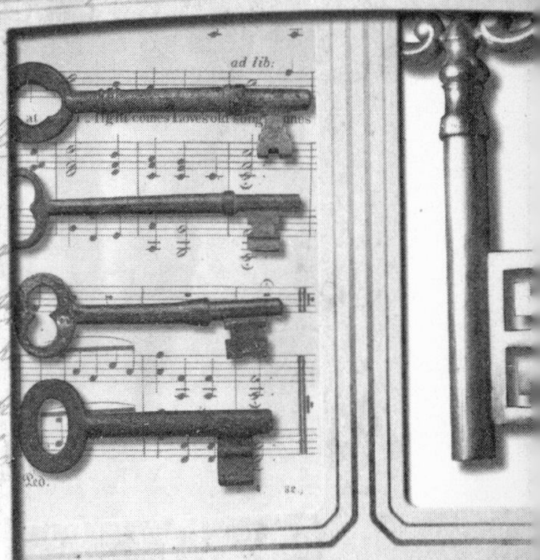

Mientras servía de guía a Jason y Julia, Dagoberto les contó:

—Dicen que, hace muchos años, los abades de la Logia de las Alcantarillas y de los Astutos de los Tejados eran amigos y trabajaban juntos como hermanos. Por eso sus casas están todavía una al lado de la otra. Aunque no sean precisamente amigos...

—¿Se han peleado? —le preguntó Jason, esforzándose por seguir sus pasos.

—Hace muchos años —contestó el ladrón—. Por el Preste, creo.

—¿Quieres decir el Preste Juan?

—¿Y quién si no? Es él quien controla toda la ciudad.

Jason y Julia intentaron recordar lo poco que habían leído sobre el Preste Juan en el cuaderno de Ulysses Moore: sabían que era un monarca de leyenda y que gobernaba un reino maravilloso, con todo tipo de riquezas, entre ellas una fuente de aguas milagrosas, capaz de ofrecer la eterna juventud.

—¿Cómo es? —preguntó Julia.

—¿Y quién lo conoce?

—¿Quieres decir que no se deja ver nunca?

—Quiero decir que nadie sabe ni siquiera dónde vive.

Los tres se agacharon para pasar bajo un arco que sostenía una negra pared de piedra, y emprendieron el descenso por una escalera casi invisible, empinadísima, que los condujo a la calle de abajo.

—Hay quien dice que es un viejo decrépito. Y quien sostiene que es una especie de caballero de imponente figura.

Otros dicen que ha fallecido y que el Consejo de la ciudadela finge que todavía vive para que la ciudad no caiga en nuestras manos, o en las de los Ladrones de las Alcantarillas.

–¿Y tú qué piensas? –le preguntó Julia.

–Que el Preste Juan está vivo y se divierte a nuestras espaldas.

–Tiene que ser muy poderoso…

–Sí. Todos acatan sus reglas, por absurdas que sean. –Dagoberto se puso rígido de golpe. Hizo señas a los gemelos de que no hablaran y luego se arrimó a la pared, se asomó por detrás de la esquina y murmuró–: ¡Guardias!

Sin esperar ni un segundo, giraron sobre sus talones y recorrieron el callejón por el que habían llegado en sentido contrario. Después doblaron la esquina con aplomo y llegaron a una calle más grande. La cruzaron y se ocultaron a la sombra de la estatua de un elefante.

Arrimados unos a otros, los tres chicos esperaron a que los guardias se alejaran, desfilando a no más de cinco metros de su escondite.

Julia tenía la mano sobre el cuaderno.

Cuando la patrulla se alejó, Dagoberto emprendió de nuevo el camino, prosiguiendo el descenso hacia la ciudadela baja.

–¿Falta mucho todavía? –le preguntó Jason.

–No. Aunque… –El chico indicó el cielo estrellado–. Espero que Candado Negro no esté ya dormido.

–¿Por qué se llama así?

–Por las llaves. ¡Tendrá millares ahí abajo!

–Entonces creo que es exactamente la persona que estamos buscando –dijo Jason, dándose la vuelta para mirar a Julia.

Dagoberto caminó con paso sostenido hasta una enorme puerta de encina lacada. Después de controlar la placa con el nombre, empujó la puerta y entró en un pasillo excavado directamente en la roca que bajaba en espiral.

–Pero ¿es que no hay puertas cerradas en este castillo? –exclamó Julia asombrada.

–No –respondió el ladrón de ojos blancos–. Orden del Preste Juan: están prohibidas las llaves y las cerraduras.

En efecto, hasta ese momento todas las puertas que los chicos habían encontrado estaban abiertas.

–Ahora entiendo por qué hay tantos ladrones…

–Es un oficio peligroso.

Julia y Dagoberto se pusieron uno al lado del otro y bajaron hombro con hombro por delante de Jason.

–Es siempre un oficio contra la ley.

–Pero los ladrones tenemos también nuestras leyes.

–¿Por ejemplo?

–La nuestra es la del exterior. La ley de los ladrones de las alcantarillas es la del interior.

–Para ser una ley –opinó Julia–, me parece incomprensible.

El chico dibujó en el aire un gran cuadrado.

–Esta es la ciudadela –dijo–. Si eres un Astuto de los Tejados, como yo, te puedes mover escalando la roca y tre-

pando hasta los tejados. Si eres un Ladrón de las Alcantarillas, sin embargo… —dijo haciendo un gesto de asco—, reptas en los túneles subterráneos de la roca y saltas fuera de los pozos como un sapo.

Una vuelta más, y los tres chicos se detuvieron delante de una verja que cerraba el pasillo. Encima de sus cabezas, una antorcha luchaba denodadamente con la oscuridad y alumbraba más allá de la verja un pasadizo excavado en la roca.

—Hemos llegado —dijo Dagoberto.

—Apuesto a que esta también está abierta —murmuró Jason, intentando mover la verja.

El chico lo detuvo con un ademán. Se acercó a un cordón que colgaba al lado de la verja y tiró de él. Se oyó débilmente el sonido de una campanilla a lo lejos.

—En este caso, mejor anunciarse —explicó Dagoberto.

La campanilla que colgaba cerca de la verja tintineó a modo de respuesta y solo entonces el ladronzuelo atravesó el umbral.

Al pasar junto a su hermana, Jason notó que lo agarraban del brazo.

—¿Será seguro? —le susurró Julia.

La reja se cernía sobre ellos con sus gruesos barrotes y el pasadizo que quedaba al otro lado no era precisamente tranquilizador. Dagoberto seguía andando sin esperarlos, como de costumbre.

—¿Tenemos otra alternativa? —respondió Jason.

—Pero no nos separaremos.

—Prometido.

Después de un brusco giro hacia la derecha, el estrecho pasadizo entre la roca se empezó a abrir poco a poco hasta transformarse en una larguísima sala abovedada, cincelada en la piedra viva. Al fondo no había pared porque la sala daba directamente a un barranco y al cielo estrellado. En el horizonte se divisaba un lejano perfil de montañas afiladas. Encaramadas en una selva de trípodes, justo antes del vacío, había decenas de lechuzas blancas que movían los ojos inquietas. Los trípodes se sostenían mediante un sistema de cadenas que formaban una especie de telaraña en el techo de la sala. Una de estas, más bien oscilante, sujetaba un enorme candelabro con forma de rueda de carro en el que ardían una veintena de grandes velas oscuras que habían esculpido, con su lento gotear, largas estalactitas de cera.

Candado Negro estaba sentado allí abajo en una butaca de respaldo imponente, tapizada con retales, bajo un chorro de luz temblorosa. Delante de él tenía decenas de llaves amontonadas en una larga mesa de madera. Otras estaban colgadas de las paredes de la sala a diversas alturas en largos clavos negros.

Todo tenía el aspecto inquietante de un horno y el encanto exótico de una carpa de circo.

—¿Quién viene a molestar al Negro? —exclamó el hombre con voz estentórea.

El chico de los ojos blancos levantó la mano en señal de saludo.

—Salud, Balthazar. Soy Dagoberto, de los Astutos de los Tejados.

El hombre posó ruidosamente en la mesa la llave en la que trabajaba. Una lechuza asustada se alzó del trípode y voló hacia el exterior, ululando.

—¡Un muchacho de los tejados! —exclamó Balthazar, poniéndose de pie cuan largo era—. ¡Ven aquí que te vea!

El desconcierto se reflejó en los ojos de Julia y Jason porque las probabilidades de que ese gigante fuera Black Vulcano eran realmente pocas.

Balthazar era un hombre imponente, con una larguísima melena color ceniza recogida en dos coletas rebeldes, una barba salvaje en la que había anudados adornos dorados y dos ojos de loco sobre una nariz aguileña afilada como una cimitarra.

El hombre escrutó a Dagoberto como acariciando la idea de hacerlo pedazos y darlo como pasto a sus lechuzas. Pero debió de cambiar de idea porque preguntó:

—¿Y vosotros dos?

—Son amigos míos —garantizó el muchacho.

—Venid aquí —indicó Candado Negro.

Mientras se acercaba, Jason intentó hacer encajar de alguna manera esa nariz, esos ojos redondos y demasiado juntos y esa melena desgreñada con el empleado de la estación de Kilmore Cove. Tampoco Julia lograba solucionar el rom-

pecabezas mental y empezaba a tener la sensación de haber caído en una trampa.

Se quedaron de pie al otro lado de la mesa. Llaves de todo tipo y tamaño ocupaban toda la superficie entre montañas de cera fundida, excrementos de lechuzas y pertrechos de herrero.

Balthazar no hizo un gran esfuerzo para que los dos chicos se sintieran a gusto, entre otras cosas porque, a excepción de su banqueta remendada y un montón de trapos tirados encima del heno, no había en aquel antro ningún otro sitio donde sentarse.

El coloso de barba salvaje dejó asomar un amago de sonrisa a sus labios.

—¿Y puedo saber por qué razón, muchacho de los tejados, has venido a verme con tus amigos?

Dagoberto señaló primero a Julia y después a Jason.

—Porque ellos están buscando a una persona. Y yo he pensado que podías ser tú.

—¿Yo? ¡Ja! —rió Balthazar, haciendo que los dos gemelos dieran un respingo—. ¿Y por qué, si puede saberse?

—La verdad es que creo que se trata de un error… —murmuró Julia—. De modo que nos vamos. Sentimos haberte molestado.

—¡Un momento! ¡Qué prisas! —protestó Balthazar. Al oír su voz dos lechuzas batieron las alas, saltando de un trípode al otro para observarlos—. ¿A quién estáis buscando?

—A un hombre corpulento, con barba, al que le gusta el fuego, las llaves y las mujeres hermosas —respondió Dagoberto, bajo la mirada fulminante de Julia.

Balthazar estalló en una carcajada estentórea.

—¡Por todos los cerrojos! ¡Es evidente que soy yo! —bromeó después el gigante, peinándose la barba con los dedos, que volvieron a salir a la superficie con un huesecillo que lanzó distraídamente al fondo de la mesa.

—Tú no eres Black Vulcano —le dijo Jason directamente.

Los ojos de su interlocutor menguaron hasta transformarse en alfileres. Después volvieron despacio a sus dimensiones normales.

—No, yo diría que no. Me llamo Balthazar. Los demás me llaman Candado Negro por mi trabajo: yo quito las llaves y las cerraduras de los millones de puertas de este inmenso castillo… —Señaló las llaves que estaban encima de la mesa y las colgadas en los clavos de las paredes—. Y las vendo a quien quiera comprarlas. A pesar de que está prohibido en estos tiempos.

—Bien, pues entonces no queremos molestar más —insistió Julia.

—¡Eso sí que son prisas, jovencita! —bramó Balthazar. Se recostó sobre el respaldo y enterró las manos en su barba—. Déjame que piense… ¿Has probado a preguntarle a tu abad?

—No se le puede molestar de noche.

—¿Y es una búsqueda urgente?

—Urgentísima —dejó escapar Jason.

Julia tosió nerviosa.

—A mi hermano le suele entrar el ansia. Digamos que...
nos gustaría encontrarlo, pero...

Las gigantescas manos de Candado Negro salieron del
laberinto de la intrincada barba y señalaron primero a uno
y después al otro hermano.

—A ver, ¿es urgente o no?

—¿Acaso importa? —preguntó Julia, apoyándose en la mesa.

Con un golpe seco, Balthazar volvió a poner la silla con
las cuatro patas en el suelo.

—¡Por supuesto que importa, jovencita! Porque, si no es
urgente, podéis buscarlo también durante los próximos días,
quizá aprovechando la luz diurna. Pero si, por el contrario,
para vosotros es muy urgente encontrarlo aun siendo de
noche, entonces podría usar unas cuantas monedas para com-
prar a alguien que pudiera ayudaros. O podría hacer que lo
buscara alguna de mis amigas nocturnas...

Las lechuzas brincaron en sus trípodes, contentas. Una
incluso se atrevió a coger con el pico un mazo de llaves,
que tintinearon.

Jason sonrió.

—Parecen las lechuzas de la Casa de los Espejos.

—¿Qué has dicho? —murmuró Balthazar.

—Nada —se entrometió Julia—. De todas formas, nosotros
creemos que...

—He visto lechuzas muy parecidas a las suyas en casa de un
amigo nuestro —aclaró Jason, cansado de que su hermana lo

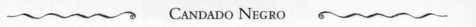

interrumpiera–. Bueno, no de un amigo nuestro exactamente, sino de un amigo de la persona que estamos buscando. Un relojero que se llama Peter Dedalus.

Balthazar frunció el entrecejo.

–¿Un hombrecillo de esta altura más o menos… con dos aros de hierro en torno a los ojos… similares a estos? –Rebuscó por la mesa hasta que encontró unas gafas redondas, idénticas a las que usaba el relojero de Kilmore Cove.

–¡Las gafas de Peter! –exclamó Jason electrizado.

Al oír esto, Balthazar lanzó un grito tan fuerte que los hizo retroceder a los tres:

–¡Pero esta sí que es buena! ¡Conocéis al hermano Pietro! ¡Es increíble! Mirad lo que hicimos juntos… –Se agachó y cogió el fino extremo de una cadena untada de grasa. La pasó por el agujero de una de las llaves abandonadas en la mesa y le dio una pequeña sacudida, mandando la llave primero hasta el fondo de la mesa y después fuera de la habitación, al vacío.

La llave desapareció entre una miríada de chispas ante la mirada atónita de los tres muchachos.

Balthazar sonrió:

–Hacen falta unos instantes para que coja la velocidad justa y luego… ¡aquí está de nuevo!

–Con un estruendo, la llave había vuelto a aparecer en el techo, haciendo tintinear la telaraña de cadenas que lo recubrían. Inmediatamente después, se pusieron en funcionamiento algunos pequeños mecanismos y la llave empezó a

moverse entre las diversas cadenillas, para después meterse de golpe en uno de los clavos colgados en la pared.

—¡El Ordenador Automático de Llaves proyectado por el hermano Pietro! —profirió Balthazar—. Y, modestamente, realizado por Balthazar Candado Negro.

Jason y Julia cruzaron una mirada de emoción. Era evidente que ese incomprensible artilugio no podía haber sido proyectado por nadie más que por Peter.

Visto el rumbo que había tomado la conversación, Dagoberto se frotó las manos satisfecho. Balthazar, sin embargo, se puso repentinamente serio y apoyó los pies sobre el cofre.

—Un momento, ¿no habréis venido aquí para… —empezó a decir— cobrar la última letra del pago?

Julia y Jason se sorprendieron.

—¿Pago? Oh, no, no.

El rostro amenazador de Balthazar se relajó al instante.

—Ah, muy bien. Entonces, ¿cómo está el viejo Pietro? Y… esperad… ¿cómo se llamaba su amigo, aquel que llevaba un ridículo sombrero con un ancla blanca?

—¿Con un parche en el ojo? —preguntó Jason pensando en Leonard Minaxo.

Balthazar negó con la cabeza.

—No. Si no recuerdo mal, no tenía ningún parche en el ojo. ¡Pero ha pasado tanto tiempo desde que los vi que vosotros podríais ser sus hijos! Ah, sí, Ulysses. Así se llamaba: Ulysses. ¿Lo conocéis también a él, por casualidad?

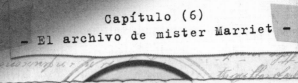

Capítulo (6)
- El archivo de mister Marriet -

obre el marco había una etiqueta dorada. Y sobre la etiqueta dorada había un nombre grabado: «Ursus Marriet».

La foto era el retrato de un hombre con el pelo cuidadosamente peinado, una sonrisa apenas esbozada, una chaqueta de corte burdo, una corbata simplemente anudada y un par de pantalones oscuros, perfectos para la fiesta de celebración de su nombramiento como director de la escuela de Kilmore Cove.

Volviéndola a mirar, el director suspiró, como aplastado por el peso de un nombre tan especial.

«No quería que mi hijo fuera un John Smith cualquiera, como tantos otros… –había dicho siempre su padre–. Estaba seguro de que llegaría a ser un hombre importante.» Y, para empezar, un hombre importante tenía que tener un nombre distinto de los demás.

El sesentón Ursus Marriet se recostó sobre el respaldo de la butaca de piel, pasándose el lápiz de punta afilada entre los dedos mientras observaba las otras fotografías descoloridas sobre el escritorio y en las paredes. He aquí su despacho de persona importante. He aquí su nombre escrito con ringorrangos góticos en el pergamino con el nombramiento.

¿Hacía cuántos años? ¿Diez? ¿Doce? ¿Veinte?

Ya ni siquiera se acordaba.

Frunció los labios en una sonrisa cansada. Arrojó el lápiz sobre el escritorio y se estiró, extendiendo las piernas y los brazos hasta que crujieron. Después se pasó el dorso de la mano por los labios para frenar un bostezo. Estaba cansado pero satisfecho. Se había quedado en el colegio todo el día para ordenar, de una vez por todas, las fichas de los profesores y los programas del curso. La tarde se le había pasado volando, sumergido como estaba entre papelajos y legajos descoloridos. Y ahora que había caído la noche, era ya hora de salir del despacho e ir a la taberna SaltWalker a tomar algo caliente.

¿Y después?

Podría llamar al doctor Bowen para echar una de sus partidas de dardos. O meterse en casa y relajarse. Siempre que fuera posible relajarse en una casa grande como un cuartel, en el que él era el único miembro de la tropa. La sola idea de todas aquellas habitaciones con las persianas bajadas, el ruido de sus mocasines en el mármol beige con el que su madre había congelado los pasillos y el lamento de las tuberías del baño que andaban a la caza y captura de un poco de presión para escupir una ducha pasable lo ponían automáticamente de mal humor.

Era por eso por lo que a Ursus Marriet le gustaba quedarse en el despacho más tiempo de lo debido.

Empujó hacia atrás la butaca y su mirada se posó en el último cajón del escritorio. Lo abrió y sacó la caja con un escarabajo pintado en la tapa en la que había metido los objetos confiscados a los gemelos Covenant. Los inspeccionó con una pizca de temerosa curiosidad, deteniéndose en una fotografía medio chamuscada. La examinó con su humor

melancólico, preguntándose por qué motivo un chico de once años tenía en el bolsillo una foto como esa.

Representaba al relojero Peter Dedalus y a ese gigante de Leonard Minaxo antes del accidente. Estaban delante del faro, pero el borde quemado de la fotografía no dejaba entrever nada más.

–Peter y Leonard… –masculló el director–. Dos viejos compañeros de escuela, si no me equivoco.

Inclinó la foto bajo la luz de la lámpara, interesado en un detalle. La observó unos segundos, y después la dejó en la mesa de formica. Cogió una enorme lupa del cajón y la colocó sobre el rostro de Leonard Minaxo, moviéndola después lentamente arriba y abajo para enfocar. Del rostro sonriente del guardián del faro bajó por el cuello hasta los hombros. Y allí se paró.

Una mano asomaba por detrás de la chaqueta de Leonard y se apoyaba sobre su hombro derecho. Y no era la mano de Peter Dedalus. Era de una tercera persona que abrazaba al guardián del faro por el lado opuesto.

El director cogió un par de tijeras pequeñas y unas pinzas y empezó a alisar los bordes irregulares del lado quemado para intentar descubrir algún detalle más sobre ese tercer personaje. La cuestión despertó su nunca del todo adormecido instinto de espía, trabajo al que soñaba dedicarse de joven.

Así, después de cierto tráfago con las consecuencias de la chamusquina y gracias a una cierta dosis de fantasía, consiguió reconstruir medio perfil de un hombre, más bajo que Leonard Minaxo, pero más alto que Peter.

—¡Ajá! —exclamó Ursus Marriet, cuando hizo ese descubrimiento completamente inútil—. ¡He aquí al señor número tres!

Una lucecita invisible se encendió en su mente haciéndole relacionar aquella fotografía con otra que, quizá casualmente, había visto en los últimos años. El despacho del director se había convertido de hecho en el depósito de la herencia del viejo fotógrafo de Kilmore Cove, el talentoso Walter Gatz, que había legado todas sus fotografías al colegio con la esperanza de que, tarde o temprano, las expondrían en un museo.

—¿Es posible? —se preguntó, apoyando la lupa en la foto y levantándose de la butaca.

Se dirigió a la parte de atrás del despacho y buscó a tientas una cadenilla que encendía una lucecita débil, a duras penas suficiente para iluminar el perfil de un amenazador archivo de madera de más de dos metros de alto y seis de largo.

Pero el director se sabía de memoria el contenido de los ficheros y se agachó sin titubeos en el área destinada a las viejas promociones. Pasó el dedo sobre las etiquetas de los distintos cursos, agrupados de cinco en cinco, indeciso sobre cuáles abrir… Eligió los años 1963-1968 y entrecerró el cajón. Después se lo pensó de nuevo y abrió uno aún más viejo: 1957-1962.

Sacó las cinco carpetas, cuyo cartón azul había adquirido la delicadeza de la seda, y las llevó hasta el escritorio. Cogió la de 1957 y la abrió.

En la cubierta de la carpeta interna estaban escritos los nombres de los alumnos, agrupados en una única clase a pesar de que tenían edades diferentes. La lista la había compilado su maestra, cuya firma aparecía al pie del documento: miss Stella.

–Una viejecita incombustible… –murmuró el director, pensando que la vivaz maestra seguía trabajando todavía después de cincuenta años.

El director leyó en voz alta los nombres de los doce alumnos: «Clitennestra Biggles (suspenso), doce años; Phoenix Smith, Fiona Giggs, Mark McIntire, Mary Clue, Mary-Elisabeth Forrest, Peter Sunday, once años; Victor Vulcano y John Bowen, diez años; Leonard Minaxo, Helen Clue, siete años; Peter Dedalus, seis años».

Con la lista en la mano, pasó los demás folios para sacar la foto de clase. La habían hecho en Turtle Park en junio de 1957. Ahí estaba miss Stella, alegre y vagamente preocupada. A su izquierda, uno junto a otro, tiesos y erguidos, los doce alumnos con uniforme gris ceniza. Y al fondo…

–¡Ahí está! –dijo el director, agarrando nuevamente la lupa.

El más pequeño de la clase, que solo podía ser Peter Dedalus, daba la mano a la mayor: la repetidora Clitennestra Biggles.

—Es curioso que la única suspensa de la clase se fuera del pueblo para trabajar de maestra en otra parte…

A la derecha de Peter había un muchacho rechoncho y bien plantado: el joven Vulcano. Su atención, lejos de estar dirigida al fotógrafo, estaba concentrada enteramente en las manos entrelazadas de Peter y Clitennestra.

El director pasó al muchacho siguiente: un jovencísimo e irreconocible padre Phoenix, años antes de su vocación. Abrazado a él, estaba Leonard Minaxo.

—¡Y he aquí el fantasmagórico medio amigo! —exclamó el director satisfecho.

También en esa foto, de hecho, sobre el hombro de Leonard se veía una mano de más y, exactamente al margen de la imagen con el habitual borde ondulado de la época, la media cara de un muchacho sin el uniforme del colegio, en pantalón corto y camisa blanca.

—Esto sí que es memoria… —se felicitó a sí mismo el director, juntando las dos fotografías para ver las semejanzas.

Dio la vuelta a la foto de clase. Miró las firmas de todos los chicos y las contó en un abrir y cerrar de ojos: trece firmas. Una más de lo debido.

El director cogió el lápiz y empezó a marcar los nombres de la lista.

—Nestor —dijo cuando descubrió a quién pertenecía la firma de más—. ¿Qué hace el tal Nestor en esta foto?

Capítulo (7)
- El Maestro de las Antorchas -

Era la primera vez en su vida que Jason utilizaba un memorando de piedra. Porque de eso se trataba: de una piedra rectangular de toba, grande como un plato, en la que Balthazar había grabado con una llave el camino que tenían que seguir para llegar hasta el jardín botánico de fray Polilla.

Los tres chicos pasaron junto a un pórtico formado por airosos arcos y diminutas columnillas. La luna hendía la oscuridad con sus cuchillas de plata. Pasado el pórtico, se abría un jardín rodeado por un muro recubierto de hiedra trepadora: una escalerilla colgante conducía a una pequeña puerta, naturalmente abierta. Y, una vez allí, se descendía hasta llegar a la sombra de unos grandes árboles retorcidos, con pequeñas hojas parecidas a monedas. Un jardín de olivos centenarios.

—«En el olivar, seguid por el lado izquierdo. Cuarta puerta» —leyó Jason, arrojando después la piedra al suelo—. ¡Hemos llegado! ¡Por fin!

El ruido de la piedra al caer puso nervioso a Dagoberto, que en el acto desapareció en medio de la hiedra con un susurro de cuerdas.

—No vuelvas a hacer eso, ¿vale? —protestó después, cuando vio que todo estaba tranquilo. Y se dejó caer al suelo.

Llegaron al edificio por el lado opuesto al del olivar. Tenía manchas de luna y oscuros pozos de hiedra. La cuarta puerta conducía a un atrio de piedra, que a su vez daba a una habitación iluminada por la luz de las velas.

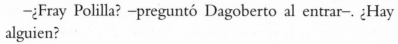

—¿Fray Polilla? —preguntó Dagoberto al entrar—. ¿Hay alguien?

—Adelante, adelante... —respondió una vocecilla.

Jason entró con Dagoberto mientras Julia, que tenía en la mano una antorcha que le había dado Candado Negro, se quedó en el olivar.

—Ve tú con él. Yo os espero aquí —dijo a su hermano con tono desconfiado.

Se sentó en el jardín y esperó. Oyó los pasos de Jason y del pequeño ladronzuelo que se alejaban dentro de la habitación.

—¡Chist! —dijo después una vocecita que distrajo a Julia de su contemplación nocturna.

Alzó la antorcha delante de sus ojos, pero no vio a nadie.

—¡Chist! —repitió la vocecita.

Esta vez Julia se puso de pie.

—¿Quién es? —preguntó al jardín oscuro—. ¿Quién ha hablado? ¿Hay alguien ahí?

—¡Aquí! —respondió la vocecita.

—¿Dónde?

—¡En el suelo! ¡Ven hacia delante!

Julia permaneció inmóvil, turbada: aparte de la hierba, los olivos, los muros recubiertos de hiedra y el cielo estrellado, no veía absolutamente nada más. La antorcha crepitaba en silencio. Y esa vocecilla no pertenecía a ninguna figura visible.

—No te veo. Déjate ver —murmuró.

—¡Lo haría con mucho gusto, pero no puedo! —exclamó la voz. Parecía la de un anciano—. Estoy bajo la alcantarilla que está a tus pies.

Julia se dio cuenta de que, a pocos pasos de ella, se abría el sumidero de los canalones, que después pasaba bajo el olivar. La voz que oía venía de debajo de los barrotes de ese sumidero.

La chica acercó la antorcha a la rejilla y pegó un grito: dos ojos la estaban mirando fijamente.

—¿Quién eres? —preguntó Julia, poniéndose de cuclillas.

—Me llamo Rigoberto. Y soy un Ladrón de las Alcantarillas. No sé qué os ha contado Dagoberto —le advirtió el ladrón, sacando el dedo índice por entre las barras—, pero ten cuidado: ¡no te fíes de él! Es un pequeño embustero, un experto embaucador.

—¿Y por qué tendría que creerte a ti?

—¡Porque yo te estoy diciendo la verdad! —respondió Rigoberto. Se interrumpió—. ¡Aquí vienen! —susurró un momento después.

Julia se dio la vuelta. Dagoberto y Jason estaban saliendo de casa de fray Polilla. Y no iban solos. Cuando la muchacha volvió a mirar la alcantarilla, el ladrón había desaparecido.

Julia se volvió hacia Jason y Dagoberto. Con ellos iba una chica alta y delgada que se presentó como Afide, la asistenta de fray Polilla.

—A esta hora fray Polilla duerme ya desde hace rato —dijo—. Pero yo creo conocer a la persona que estáis buscando.

—¡Estupendo! —exclamó Jason, cruzando una mirada con su hermana gemela.

—Si no me equivoco, no vive muy lejos… —prosiguió Afide—. Vino aquí hace algún tiempo a ver a fray Polilla y, no me preguntéis cómo, pero le quitó a Zan-Zan, su anterior asistenta. Desde entonces, no le cae muy simpático…

—Black Vulcano… —farfulló Jason—. ¿Qué les dará a las mujeres?

—Fray Polilla me eligió a mí como sustituta —explicó—. El trabajo consiste en aprenderse la disposición de todas las antorchas de la ciudadela y coordinar los dos grupos de personas que se encargan de su mantenimiento: los que las encienden y los que las apagan. Es bastante complicado porque hay fiestas especiales durante las cuales algunas zonas tienen que estar a oscuras y otras iluminadas. Y después están las antorchas que hay que sustituir, las que se apagan sin motivo y… en fin, cosas así.

Dagoberto había aprovechado la conversación para alejarse del grupo y echar una ojeada a su alrededor. Su sexto sentido le decía que había que estar alerta y no quedarse allí demasiado tiempo. Se lo dijo a los demás.

—Para acabar… —se apresuró entonces Afide—, quería deciros que Zan-Zan y vuestro amigo se dedican ahora a fabricar fuegos artificiales para las fiestas de la corte.

—¡Claro! ¡Es él seguro! —exclamó Jason.

—¿Y dónde está?

—En el Laboratorio Atronador —respondió. En ese momento se oyó la voz de fray Polilla que la llamaba y Afide desapareció tras el umbral de la puerta.

Los tres permanecieron inmóviles a la luz de las estrellas.

—¿Tú sabes dónde está? —le preguntaron los gemelos.

—No exactamente —admitió el ladrón, molesto—. Pero a lo mejor está escrito en vuestro cuaderno…

Julia pasó a Jason la antorcha, sacó el cuaderno del bolsillo y empezó a hojearlo.

—«Cien Pavos Reales, Sótano del Embustero, Salón de las Danzas Grises, Palacio de las Almohadas Aulladoras, Fuente de la Eterna Juventud, TorCigarra…»

Al oír pronunciar estos nombres, los ojos de Dagoberto brillaron famélicos. Alargó instintivamente la mano para aferrar el cuaderno, pero Jason se lo impidió.

—Cada cosa a su debido tiempo —le dijo, interponiéndose entre él y Julia—. Lo primero es encontrar a nuestro amigo. Y después te dejaremos echar una ojeada al cuaderno.

—Vosotros no os dais cuenta de lo que significa —susurró Dagoberto—. ¡Ese cuaderno explica cuál es el camino que lleva a la fuente de la eterna juventud!

—No me parece que a ti te haga falta en este momento —replicó Jason, parándose ante su hermana.

—«Laboratorio Atronador» —leyó por fin Julia en una de las últimas páginas.

Corn'Whales

KILMORE COVE NEWS · CORNWALL

Do you Great LIBERTY infuse our limbs—And make our Passion happy—Or, our Deaths glorious in thy just Defence.

VOL. IV.) · THURSDAY · (NUMB. 179·

MERCURY MALCOM MOORE IS DEAD!

THE OWNER OF VILLA ARGO

Gwendaline Mainoff se alzó del reclinatorio con un susurro de cabellos perfumados.

–Gracias, padre Phoenix –dijo–. Hasta pronto.

Se alejó unos pasos y después añadió:

–Y muchos recuerdos también de parte de mi madre.

El sacerdote salió sonriendo de detrás de la cortinilla que lo ocultaba.

Al verlo en carne y hueso, Gwendaline pareció tranquilizarse, como si tuviera así la prueba de que había hablado de verdad con él y no con un desconocido escondido tras la celosía.

–¡Gracias de nuevo!

–No hay de qué –respondió el sacerdote sacudiendo ligeramente la cabeza. Esperó a que la peluquera saliera por la pequeña puerta lateral de la iglesia y después se cerró dentro, pensativo.

La confusa narración de Gwendaline lo había sumido en una profunda melancolía: era como si, con tanta ingenuidad, hubiera conseguido tocar el fondo de su alma de viejo pastor del pueblo y desenterrar un tesoro que creía perdido.

El tesoro de cuando tenía diez años.

Y de aquel verano.

El Gran Verano.

El padre Phoenix caminó arriba y abajo de la iglesia silenciosa y polvorienta y fue apagando uno a uno los interruptores de la luz. Con una serie de tranquilizadores clac, la oscuridad descendió para proteger las imágenes sagradas, las capillas y los altares. Horadada por una pequeña luna, la vidriera de la fachada parecía el dibujo de un niño: su mosaico tembloroso y apenas esbozado se recortaba plateado sobre el suelo de la nave central.

El padre Phoenix se santiguó por última vez y desapareció tras el altar mayor. Allí, al fondo del pequeño coro de madera esculpido hacía sesenta años por los maestros carpinteros del pueblo, se abría la portezuela que conducía a la sacristía. Una horrible luz blanca de miles de vatios, generosa ofrenda que la señora Bowen había hecho a la iglesia las últimas navidades, anunciaba su impertinente potencia luminosa sobre las cuatro paredes, dejando traspasar al exterior una luz más o menos igual que la del faro de la ciudad. Aunque al menos era preferible a las figuritas de plástico del belén que habían comprado el año anterior los habitantes del pueblo, siempre por iniciativa de la señora Bowen.

Así eran sus feligreses. Gente sencilla y de fiar, previsora y sincera. El padre Phoenix los conocía mejor que nadie, con todos sus defectos y secretos.

Quizá precisamente por eso, el sacerdote sentía más cariño hacia ellos que hacia nada ni nadie. Además, también él era del pueblo: había crecido en Kilmore Cove y había vuelto después de haber completado los estudios necesarios para transformar su vocación en un título de fe.

Salió a la calle y se dirigió hacia la pequeña casa parroquial. Confiaba en que el ama le hubiera tapado la sopa para que no se le enfriara. Pero de todas formas, la idea de un plato caliente no bastó para hacer que tomara el camino más corto. Como todas las demás tardes, el padre Phoenix dio la vuelta al muelle, mientras contemplaba las gaviotas paradas en la arena aún tibia. Y después la línea resplandeciente del mar en el horizonte, hecha de la misma materia que las estrellas.

Como todas las demás tardes, respiró a pleno pulmón. Esta vez notó, sin embargo, justo al acabar de inspirar, una punzada dolorosa, como una espina.

Sabía bien de qué se trataba.

Eran todavía los efectos de la historia de Gwendaline sobre Villa Argo.

Cuando buscó en el bolsillo las llaves para abrir la puerta de la casa parroquial, el padre Phoenix estaba todavía pensando en Villa Argo. Y en cuando había entrado allí por primera vez… ¿hacía ya cuántos años?

–Por lo menos cincuenta, viejo amigo –se dijo, hablando en voz alta como hacen las personas que no tienen en casa nadie con quien cruzar unas palabras.

El padre Phoenix subió a la cocina y encontró la sopa tapada con un plato plano. Agradecido por esa pequeña atención, se lavó las manos con agua helada (no había instalado nunca el agua caliente) y se sentó a la mesa, mirando fijamente, como siempre, su imagen reflejada por la joroba panzuda de la nevera.

—Cincuenta años... —repitió, mientras sumergía la cuchara en el caldo caliente.

Cincuenta años y no había cambiado prácticamente nada. En la casa del acantilado seguía sin reinar la tranquilidad. Oblivia quería desvelar sus secretos. Y Ulysses quería protegerlos.

¡Cuánta terquedad por ambas partes! Ya no era una lucha entre los buenos y los malos. Porque quienes custodiaban ahora los secretos habían sido los primeros en desvelarlos. O en volverlos a desvelar.

Y había sido también culpa suya. De un joven Phoenix que todavía no era «padre». Y de sus amigos. Recordó cuando habían bajado a Victor Vulcano al pozo de Turtle Park y había salido de allí todo negro, ganándose desde entonces el apodo de «Black» Vulcano. Recordó cuando habían descubierto el viejo carro al fondo de los túneles. Y la primera entrada al panteón.

Y la nave en la gruta.

La nave que, al parecer, quería usar hoy la joven e inexperta Oblivia Newton valiéndose del medio más extendido en el mundo moderno: la mentira.

El padre Phoenix se limpió los labios con la servilleta. Metió el plato sucio en el fregadero y se dirigió al salón. Marcos de plata, colocados sobre un tapete de encaje blanco, encerraban momentos de su pasado. Rostros de perso-

nas que ya no estaban habían quedado inmortalizados por la pericia del fotógrafo.

—Alguien tendrá que contar toda la historia a los nuevos propietarios... —dijo el sacerdote en voz alta—. Y a esos dos muchachos.

El padre Phoenix sabía cosas que los demás no sabían. Algunas no las podía contar porque eran secreto de confesión, pero de todas formas le daban que pensar. El día anterior, el joven Banner había venido para hacerle algunas preguntas sobre el cementerio de Kilmore Cove y la sepultura de los Moore. Hoy Gwendaline Mainoff había confesado haber llevado a Villa Argo a dos personas que coleccionaban puertas. Si a esos dos datos se añadía lo que el padre había descubierto por casualidad mientras paseaba como era habitual en él por Turtle Park... como, por ejemplo, los gritos de Rick nada más salir del panteón... el padre Phoenix no podía sino llegar a una conclusión.

Se estaba preparando una tormenta.

Se puso de cuclillas para abrir el cajón más bajo del único mueble de valor que había en la casa, donde había abarrotado todos sus recuerdos. Sacó un álbum en el cual había ido recopilando pacientemente artículos de periódico y fotos de Kilmore Cove. Pertenecían a un diario de tirada limitada llamado *Corn Whales*, cuyo nombre estaba escrito en caracteres góticos encima de la silueta negra de una ballena. Tenía una tirada de no más de mil copias y hasta los años sesenta se distribuía en muchos pueblecitos de la costa meridional. Después cerró. Sin embargo, el padre Phoenix, que había publicado algunos artículos, había seguido escribiendo. Había asumido el deber de servir de memoria histórica del pueblo, apuntando los acontecimientos más importantes y valiéndose, siempre que podía, de modestas fotografías.

En el último número de *CornWhales* se hablaba precisamente de Villa Argo: la noticia daba a conocer la muerte de Mercury Malcom Moore, valeroso soldado del Imperio británico y propietario de Villa Argo.

—Además de antipático, gruñón... —añadió el padre Phoenix desde lo más profundo de su corazón, recordando aquella figura agria y desabrida que en el artículo definían eufemísticamente como un hombre «de una sola pieza».

En las siguientes páginas del álbum, el padre Phoenix había pegado otros artículos y otras fotos. Aquí estaba el año 1973: en el centro de la página, una fotografía descolorida, una de las primeras Polaroid, inmortalizaba nada más y nada menos que las cuatro llaves de Villa Argo.

El padre fue pasando rápidamente las páginas. Cuatro años después, 1977. La boda de Ulysses y Penelope, la primera boda que él celebraba. De ese día quedaba solo esa foto, ajada y amarillenta, con la gruta de la *Metis* adornada de seda blanca.

El padre Phoenix acarició la fotografía con una dulzura infinita y dijo en voz alta:

—Pero ¿cómo es posible, Penelope? ¿Y por qué?

Después, como con un ataque de rabia, saltó de golpe todos los años sucesivos y se encontró cara a cara con Patricia Banner.

La madre de Rick.

Era una foto del funeral de su marido. Una procesión aún más desgarradora por su compostura. Ningún lamento, ningún grito desesperado salvo el de alguna gaviota lanzándose en picado sobre el océano. Las olas doloridas rompían contra los escollos de Salton Cliff, mientras el sol del crepúsculo transformaba las nubes en manchas ensangrentadas. Al caer la noche, las colinas de Shamrock Hills se iluminaron con una procesión de antorchas que ardieron hasta el amanecer del día siguiente. Todos los habitantes de Kilmore Cove y alrededores se habían estrechado en torno al dolor de los Banner, como una única familia unida por el mar.

—Caramba… —murmuró el padre Phoenix, poniéndose de pie—. Caramba —repitió.

Cogió la fotografía y la volvió a mirar. Se dio cuenta de que estaba temblando. Le temblaban las manos y los brazos. Le temblaban incluso las rodillas, hasta el punto que se vio obligado a apoyarse en la mesa redonda.

Respiró hondo.

—Caramba —dijo por tercera vez.

En el funeral de su marido, Patricia Banner llevaba colgada al cuello una llave con tres tortugas.

Capítulo (9)
- El Laboratorio Atronador -

*E*l Laboratorio Atronador ocupaba una torre cuadrada en el extremo sur de la ciudadela, al abrigo del precipicio. Era una construcción maciza, carente de belleza, donde reinaba la más completa oscuridad. Prudentemente, la habían construido a una cierta distancia de los demás edificios y daba al vacío por un lado y a un campo yermo sembrado de hoyos por el otro.

—¿Topos gigantescos o un campo de minas? —preguntó Jason al ver los agujeros.

—¿Pruebas de fuegos artificiales? —aventuró Julia.

—Ah, sí. Podría ser…

Dagoberto tanteó el terreno, desconfiado. Su nariz percibía en el aire un lejano olor a pólvora.

—No es seguro caminar por aquí —sentenció.

Junto al muro bajo que delimitaba el campo, había un cordón idéntico al que habían encontrado cerca de la cancela de Balthazar: este corría sujeto por cuatro postes hasta llegar a la entrada de la torre, veinte metros más adelante. Parecía casi un moderno cable de teléfono.

—Yo llamo —dijo Jason. Y así lo hizo.

En el silencio de la noche se difundió un repiqueteo lejano. Los chicos esperaron. Después llamaron por segunda vez, pero de la torre no llegó ninguna señal.

—A lo mejor están durmiendo… —elucubró Jason, tirando por tercera vez del cordón de la campanilla—. O a lo mejor han salido. —El chico soltó de golpe el cordón—. ¿Sabes lo que se me ha ocurrido? —le dijo a su hermana—. ¿Te acuerdas del monje que llevaba las zapatillas de deporte… que iba con la mujer china… que hemos visto en la escalera del claustro?

Julia asintió y Jason le indicó la torre.

–¿No será que… ?

–¿Quieres decir que…?

–¿Por qué no? Raros lo eran, y además… –Jason se volvió hacia Dagoberto–: Hablaban de un laboratorio. ¡Y este sitio se llama Laboratorio Atronador!

–¡Un momento, un momento! ¡No entiendo ni una sola palabra de lo que estáis diciendo! –exclamó Dagoberto.

–Estamos diciendo que a lo mejor nos hemos cruzado con Black y Zan-Zan esta tarde… pero no los hemos reconocido –resumió Jason.

Julia se llevó las manos a la cabeza.

–¡Maldición! ¿Se han ido?

–Pero ¿cómo es que no los habéis reconocido? –les preguntó Dagoberto.

–Estaba muy oscuro… –le respondió Julia.

–Y yo estaba boca abajo detrás de un florero. –Jason indicó la silueta negra y vacía de la torre–. Si ellos están allí y nosotros aquí, no podemos encontrarnos seguro.

–Tenían una prisa endiablada… –recordó Julia–. Como si tuvieran que marcharse corriendo. Y hablaron también de trampas.

–Garzas, corrientes de aire y conejos –recordó Jason. Después se sentó en el suelo desconsolado–. Lo hemos per-

dido por un pelo. Hemos encontrado a Black Vulcano y lo hemos perdido.

Siguió un largo silencio, que fue roto por Dagoberto:

—Pero yo os he traído a donde estaba, como os prometí. Julia asintió.

—Y habíamos hecho un trato… —insistió el ladrón.

Jason metió la cara entre las manos, mirando fijamente con gesto malhumorado el campo lleno de explosiones.

—¡Podemos esperarlos aquí! —dijo.

—No tenemos mucho tiempo —le recordó su hermana.

—Pues entonces vamos a intentar entrar. A lo mejor es solo que tienen un sueño muy pesado. Les explicamos todo el asunto y si no están… les dejamos un mensaje.

Julia miró a Dagoberto, que sacudió la cabeza.

—Los mercaderes estáis locos de remate.

Julia levantó a su hermano del suelo.

—Ya que hemos llegado hasta aquí… al menos vamos a echar una ojeada dentro.

Jason dio el primer paso más allá del muro.

—No es seguro caminar por ahí —le advirtió Dagoberto, indicando el campo lleno de hoyos.

Jason detuvo el paso en el aire y después retrocedió.

—Ah, sí. Tienes razón.

Observó con cierta aprensión los cráteres de las explosiones y llegó a la conclusión de que no era una buena idea saltar por los aires como los fuegos artificiales.

—¿Tú qué dices? ¿Qué hacemos? —le preguntó al ladrón.

—No tengo la menor idea. Si queréis intentar entrar, yo os espero aquí.

—Garzas, corrientes de aire y conejos… —recordó Jason—. Los conejos excavan agujeros. ¿A lo mejor estamos delante de una trampa para conejos?

Su hermana abrió los brazos y se puso a moverlos de arriba abajo.

—¿Y si fuera, sin embargo, una trampa para garzas? Las garzas vuelan, ¿no? Y no tocan el suelo.

—Si quieres intentar volar, Julia… —le aconsejó Jason—, lo mejor es volver a lo alto de las murallas.

—O bien… —sonrió enigmáticamente ella, mirando hacia arriba.

—¿Quieres moverte? —exclamó Julia poco después, volviéndose hacia su hermano—. ¡No es tan difícil!

Jason resopló sin responder. Estaba sudando tinta para llegar hasta arriba del primer poste que sujetaba la campanilla. Agarrado con las manos y las piernas como un mono, hacía grandes esfuerzos para trepar.

—¡Aprieta esas piernas y sube! —continuó Julia—. ¿No has hecho nunca un poco de gimnasia?

Parado en el muro de entrada, Dagoberto sacudió la cabeza. Sujetaba con fuerza en la mano el extremo del cordón de la campanilla.

Jason consiguió trepar hasta arriba del poste. Una vez allí, alargó el brazo para coger la cuerda que lo unía al segundo.

–¿Seguro que resiste? –murmuró.

–¡Pues claro! –lo tranquilizó Julia desde arriba. Después de haber trepado ágilmente por el primer poste, se había colgado de la cuerda, pasando de un poste a otro hasta llegar a la entrada del Laboratorio Atronador.

–Tú no sueltes, ¿eh? –le dijo Jason a Dagoberto para asegurarse. Luego se aupó con un impulso y cruzó los pies por encima de la cuerda para emprender el primer tramo. Aunque eran pocos los metros que lo separaban de tierra, la idea de tocar el suelo y saltar por los aires no le atraía lo más mínimo–. ¿Seguro que no hay ninguna otra forma de entrar? –protestó una vez más.

–¡Ya vale! –le recriminó Julia–. ¡Muévete!

La chica se puso a inspeccionar la puerta de entrada de la torre que, como todas las demás puertas del castillo, estaba abierta.

–¡Espérame! –gritó Jason, que había llegado ya al segundo poste. No soportaba la idea de descubrir algo después de su hermana.

Julia echó un vistazo dentro.

–¡Hola! –llamó–. ¿Hay alguien ahí? –Después, volviéndose hacia su hermano, dijo–: ¡Hay solo una pequeña habitación y una escalera!

–Estupendo –resopló Jason, tomando aliento antes de afrontar el tramo final.

Cien resoplidos y cinco minutos después, llegó hasta la puerta de entrada, donde estaba su hermana. Dagoberto estaba todavía de pie al otro lado del campo. Jason le hizo señas de que esperara:

—¡Cinco minutos y volvemos!

El interior del Laboratorio Atronador estaba a oscuras y perfumado.

Un tenue aroma de lavanda flotaba por doquier, señal de una presencia femenina. Jason y Julia entraron en una habitación desnuda con una gran escalera de piedra que subía a los pisos superiores de la torre. Los únicos muebles que había eran un baúl de madera negra y un candelabro apoyado en la pared, recubierto de cera roja. Una puertecilla baja conducía a una habitación lateral, desde la que se filtraba un tenue albor de luna.

Los gemelos llamaron a Black Vulcano. Al no recibir respuesta, decidieron aventurarse hasta la puertecilla y echar una ojeada dentro.

La nueva habitación estaba ocupada por una enorme máquina de la que colgaban trapos y retales de colores.

—¿Y eso qué demonios es? —preguntó Jason.

Parecía el esqueleto de madera y metal de un extraño dinosaurio. La luz de luna que se filtraba por un ventanuco de cristales azogados contribuía a hacer que la vieja estructura de aquel artilugio fuera incomprensible.

—Es un telar —concluyó Julia, reconociéndolo después de darle algunas vueltas.

—¿Un telar?

–¿Ves esas hebras de lana? Se trenzan aquí, en este cuadrado de madera, una con otra… para tejer alfombras o telas… Entiendes, ¿no?

–Para ser sincero, no. Pero me fío de ti.

–No había visto nunca uno tan grande –prosiguió Julia–, ni tan complicado.

–Será un telar «modelo Dedalus» –bromeó Jason.

–No me extrañaría –asintió Julia.

La habitación del telar parecía no tener más salidas, así que los chicos volvieron a donde estaba la escalera. Pasaron por alto una segunda puerta y miraron fijamente los escalones que desaparecían hacia arriba, engullidos por un techo de madera.

–Si queremos dejarle un mensaje… –dijo Julia–, podemos dejárselo también aquí.

–¿Tienes para escribir?

–No. Pero tengo el cuaderno de Ulysses Moore. Podríamos… –Movió la cabeza–. No sé qué es lo que podríamos.

Jason puso el pie en el primer escalón.

–¿No será peligroso? –le preguntó su hermana.

–¿Más peligroso que las escalerillas de Villa Argo? –le respondió él sonriendo. Y se levantó la camiseta para dejarle ver las magulladuras, aún recientes, de su aparatosa caída.

–¿Y… las trampas?

–Habrá que tener cuidado –replicó tajante Jason, poniendo el pie en el segundo escalón.

No pasó nada.

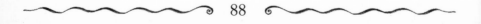

Subió al tercero.

Y tampoco pasó nada.

Los dos hermanos subieron con mucha cautela un total de diez escalones. Jason primero y Julia justo después, preparada para agarrarlo.

Jason repetía cada vez el mismo ritual: apoyaba el pie, prestando mucha atención, esperaba unos segundos, cargaba sobre él el peso y, por último, subía. Estaba a punto de poner el pie en el undécimo escalón cuando algo lo detuvo.

Una corriente de aire.

Una débil corriente de aire que soplaba desde la pared hacia el interior de la escalera. Una corriente fría y cortante, que probablemente no habría notado si no hubiera subido tan despacio.

—Corriente… —dijo en voz alta.

Acercó la mano a la pared, sin tocarla, y después de varias tentativas encontró el minúsculo agujero por el que salía el aire. Estaba justo encima del escalón número once.

Jason reflexionó brevemente sobre qué era mejor hacer. ¿Tapar la corriente de aire con la mano? ¿Continuar? ¿O bien simplemente saltar por encima del escalón?

Puso rápidamente en práctica sus pensamientos y levantó el pie derecho, dando un paso más largo de lo necesario.

—Vamos a ver si así… —dijo.

Apoyó el pie en el duodécimo escalón, recobró el equilibrio y subió.

La madera crujió, la suela de la zapatilla de deporte gimió. Pero no pasó nada.

—¡Pues claro! —exclamó triunfante Jason—. Así se vencen las corrientes. Julia, ¡tienes que saltar el escalón!

La hermana no hizo preguntas. Saltó por encima del escalón y siguió a su hermano escaleras arriba.

Encontraron otras cuatro corrientes de aire.

En el piso de arriba había una gran habitación vacía. En la chimenea ardían aún algunas brasas. Parecía como si alguien hubiera utilizado hacía poco el jergón de paja que yacía en el rincón opuesto. Un enorme tapiz cubría una pared. En la otra se abría una ventana desde la cual se dominaba parte del precipicio, el campo que habían atravesado y los tejados de la ciudadela.

—¿Señor Vulcano? —preguntó Jason, entrando en la habitación.

Caminaba lentamente y de puntillas. Por suerte, no parecía haber más corrientes.

—Yo diría que no hay nadie… —comentó Julia, unos pasos detrás de Jason.

Se movieron con suma atención y cautela, pero si había un lugar desolado en el mundo, ese era la habitación en la que se encontraban. La única mesa grande, colocada delante de la chimenea, estaba vacía, a excepción de una larga pluma de cuervo y un tintero con tinta negra. Sobre el asiento de mimbre de la silla cercana podía verse la forma de una

persona bastante corpulenta. No había más muebles. Ni curiosidades.

Jason rebuscó dentro de la chimenea, mientras Julia iba hasta la ventana y miraba hacia el muro por el que habían entrado. Dagoberto había desaparecido.

—¿Adónde habrá ido? —preguntó.

Llamó a su hermano y le refirió lo que le había dicho el otro ladrón al que había encontrado en el jardín de fray Polilla.

—No lo sé. Pero es mejor que nos movamos. Dejamos el mensaje y nos vamos.

Los dos chicos fueron hasta la mesa y cogieron la pluma de cuervo. Estaba cortada oblicuamente para embeberla en el tintero.

Jason observó la pluma a contraluz y después preguntó a su hermana:

—¿Tú sabes escribir con este chisme?

—Puedo intentarlo. En cualquier caso, tengo más probabilidades que tú de escribir algo comprensible.

—Qué simpática —comentó Jason con sarcasmo, aunque en realidad a él mismo le costaba trabajo leer su propia caligrafía.

Mientras Julia sacaba del bolsillo el cuaderno de Ulysses Moore para arrancar una hoja en blanco, el chico empezó a dar vueltas por la habitación. Fue hasta el jergón y levantó las pesadas colchas de tela damasquinada.

—Nada —dijo, volviéndolas a dejar en su sitio.

—¿Qué esperabas? —se burló Julia. Destapó el tintero, empapó la pluma de cuervo y después declamó en voz alta—: «Estimado señor Black Vulcano…».

Jason la interrumpió enseguida:

—¡Demasiado formal! «Querido Black —le aconsejó—, hemos venido a verte, pero no estabas.»

Julia se concentró en escribir. La pluma empezó a arañar la hoja de papel, dejando largas manchas negras.

—Punto —siguió dictando Jason, deteniéndose ahora ante el tapiz.

—«Por desgracia —continuó Julia—, con nosotros estaba también Oblivia Newton… pero los guardias la han arrestado.»

—«Al igual que a Manfred» —precisó Jason.

En el tapiz estaba representada la escena de un caballero que, después de quitarse la armadura, descansaba junto a una colina llena de conejos.

Julia escribió hasta «guardias», y mordisqueó la pluma.

—No sé si Black conoce a Manfred. Es más: ni siquiera sé si sabe quiénes somos nosotros. Es mejor: «Nosotros somos Jason y Julia y somos amigos de Ulysses Moore y, por lo tanto, también tuyos…».

—«Somos los gemelos de Londres que ahora viven en Villa Argo y saben lo que habéis hecho con las llaves…» —propuso Jason. Después acarició la pesada tela del tapiz.

—Muy bien —asintió Julia, escribiendo a toda velocidad—. ¿Y de Rick no decimos nada?

—Nooo… —respondió Jason.

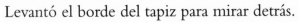
Levantó el borde del tapiz para mirar detrás.

—¡Eh!

Julia pegó un respingo.

—¡Una mancha! ¡Por tu culpa!

—¡Sí, pero mira aquí!

—¿Qué?

—¡Hay una caja fuerte! —exclamó Jason. Detrás del tapiz había un hueco muy profundo—. Mejor dicho, no es una caja fuerte, es un entrante.

Metió dentro una mano y con la punta de los dedos tocó una cuerdecilla que la atravesaba de lado a lado.

—¡Una cuerda! —dijo.

—¿Qué quieres decir?

—Lo que he dicho —refunfuñó Jason, agarrándola—. Detrás de este tapiz hay un hueco en la pared y dentro del hueco hay una cuerda.

—¿Y por qué hay una cuerda? —se preguntó Julia, mientras la invadía una sensación inquietante—. ¿No será una trampa?

La luz de la luna le mostraba los contornos borrosos de la habitación, batiendo sin embargo como un proyector en el tapiz: un hombre con una larga barba y una armadura refulgente. Un caballo cerca. Una colina de verdes prados, en la cual asomaban numerosos conejos diminutos. En la parte inferior, el hueco de una de sus madrigueras…

—Los conejos —susurró Julia.

Jason sacudió ligeramente la cuerda que estaba dentro del hueco, tras lo cual se oyó un paf ahogado.

—¿Y? —se preguntó Jason en voz alta.

Al primer paf le siguió un segundo, más violento y estrepitoso, y después un tercero, semejante al ruido de una castaña en las brasas.

Por la ventana se veía una cascada de luces. Un relámpago anaranjado que se precipitaba como una diadema resplandeciente hacia el suelo.

—¡Oh, no! —exclamó Julia, corriendo a mirar hacia fuera.

Jason soltó la cuerdecilla.

—Parecían…

Cuarta explosión, esta vez clarísima. Blanca y dorada. Produjo un gigantesco sauce llorón de luces que se derramaban hasta el suelo.

—Fuegos artificiales… —concluyó Jason.

Los dos chicos se apoyaron en la ventana, incapaces de decidir qué hacer. El interior del Laboratorio Atronador quedó envuelto en alegres luces pirotécnicas.

Después de unos minutos, al fondo, en el campo, se oyó el ruido metálico de los soldados y la voz del capitán que gritaba:

—¡Buscad a los intrusos! ¡Rápido! ¡Que no escapen!

Capítulo (10)
- La habitación de piedra -

Al señor Covenant el agua caliente del baño le llegaba hasta la barbilla. Tenía la cabeza reclinada hacia atrás y miraba el techo del baño como si los dibujos de las grietas de la pared fueran una antigua caligrafía que hubiera que descifrar. Sentía los dedos de los pies hormiguearle de placer.

Después de todo el frío que había pasado en el mar y del chorro fétido que le había lanzado la ballena, un baño de agua caliente y jabonosa era el equivalente líquido del paraíso. Y el silencio que lo rodeaba era el canto de los ángeles del reposo.

El señor Covenant había arrojado la ropa escaleras abajo y le había pedido a su mujer que se deshiciera de ella para siempre: estaba seguro de que el olor a pescado que la impregnaba habría sobrevivido a cualquier tipo de lavado.

Y mientras, él probablemente se habría disuelto en aquella bañera.

Agua caliente, por fin.

Cerró los ojos para intentar dar por concluidos los peores momentos de aquella ridícula y absurda jornada: la única carretera asfaltada de Kilmore Cove hecha un colador, los troncos de los árboles caídos atravesados en medio, la bibliotecaria que quería echarse al mar, la agotadora travesía a remo junto al arquitecto Homer, el encuentro con la ballena y el cuerpo del guardián del faro y por último…

Volvió a abrir los ojos: alguien había llamado a la puerta.

—¿Estás ahí? —le preguntó su mujer.

—Sí, en la bañera.

La puerta del baño se entreabrió y él se arrepintió amargamente de no haber cerrado con llave. Entró la señora Covenant, luciendo un nuevo corte de pelo a medio camino entre cesta de bananas y melena de león.

—Un *look* magnífico… —aventuró él, esperando que un cumplido fuera suficiente para evitar cualquier queja.

Su mujer escudriñó el baño con la típica mirada ausente de quien tiene algo en la boca del estómago que tiene que confesar.

—¿No has notado nada raro?

El señor Covenant la observó fijamente, sin percatarse de que el malestar de su mujer era un malestar más sutil, relacionado con la intuición típicamente femenina de que en casa había algo… equivocado.

—¿Las mechas?

—No tengo mechas. ¿Has visto a los chicos?

—No. ¿Por qué?

—Abajo no están. Pensaba que estarían arriba, en su cuarto, pero…

El marido movió imperceptiblemente un pie en el fondo de la bañera.

—¿Has acabado? —le preguntó ella, percibiendo en ese movimiento mucho más de lo que a él le habría gustado dar a entender.

—Pues la verdad es que… me gustaría darme todavía unos segundos más de relax.

—He mirado también en la torre —prosiguió ella, implacablemente ansiosa—. Pero la he encontrado vacía. Sumida en un extraño desorden, pero vacía. Y tengo la impresión de que alguien ha estado merodeando y hurgando en la biblioteca.

—¿Qué alguien, perdona?

—Ni idea. Ya te digo que es solo una impresión.

—A lo mejor ha sido ese amigo suyo pelirrojo.

—Rick.

—Sí, eso, Rick. A lo mejor ha estado curioseando más de la cuenta. Y ahora ellos lo han acompañado afuera. Al jardín.

Su mujer se mordió el labio superior mientras fijaba la vista en un punto indefinido abajo a la derecha. Era su manera de expresar perplejidad.

—¿Qué es lo que no te cuadra?

Ella se estremeció.

—Noto una sensación extraña, como una especie de… corriente.

—¿Corriente?

—Sí, corriente.

—A lo mejor los chicos se han escondido para gastarte una broma.

—¿A la hora de cenar?

—¿Y si hubieran subido a la buhardilla?

—Voy a llamarlos. —La señora Covenant se alejó de la bañera. Fue hasta la puerta del baño, la abrió y dirigió a su marido una mirada borrosa—. Si tú mientras tanto…

—Claro. Enseguida voy y te echo una mano —suspiró él.

Cuando la puerta del baño se cerró, el señor Covenant alzó la vista al cielo.

—Fin del relax.

Salió del baño ataviado con unas zapatillas y un albornoz de nido de abeja color verde manzana.

—Es verdad —dijo.

Sintió un escalofrío. En las escaleras una corriente gélida le subió silbando por las piernas. Procedía de detrás de la puerta con espejo de la torre.

—¡He aquí la corriente misteriosa! —exclamó el señor Covenant al fijarse en que una de las ventanas estaba abierta de par en par.

Se asomó para cerrarla y se quedó encantado con tanta belleza. Al llegar la tarde, el cielo se había cubierto de nubes oscuras, cuyas extremidades más lejanas estaban aún circundadas de un halo dorado. El mar estaba airado y sus pequeñas olas de espuma blanca rompían en la playa. Los edificios de Kilmore Cove al amparo de la bahía parecían casitas de mazapán.

Cerró la ventana sonriendo y, en ese momento, notó que las luces de la casa de Nestor estaban encendidas. Dentro de ella unas cuantas personas caminaban arriba y abajo como enfrascadas en una animada discusión. Y una de las caras que se sucedieron ante la ventana era justo la de Rick.

—Ahí están… —se dijo el señor Covenant, satisfecho con el descubrimiento—. Han ido a atormentar al pobre Nestor.

El padre de los gemelos cerró también a sus espaldas la puerta con espejo. Su reflejo verde manzana no era el símbolo de la virilidad precisamente, ni las zapatillas el de la elegancia. A mitad de la escalera, por poco no tropezó y bajó de culo el resto de peldaños.

—¡Oh, no! —dijo, agarrándose a la barandilla bajo la mirada inquisitiva de los anteriores dueños de la casa. Finalmente logró recuperar el equilibrio y la compostura y pensó que tendría que encontrar un pintor que le hiciera también a él un retrato—. Con mi mujer y mis hijos —añadió, orgulloso de su idea.

Llegó sano y salvo al pie de las escaleras y los llamó. Echó una ojeada en el zaguán de la izquierda, pero no vio a nadie. Sofás blancos, la estatua de la pescadora con una red entre las manos, los grandes ventanales que daban al porche. Volvió a llamarlos.

Y se dirigió hacia la cocina.

Pasó por la puerta de madera de dos hojas, llegó a la mesita con el teléfono y siguió adelante. Pero se detuvo al oír el ruido de una mesa al correrse.

—¿Queréis jugar al escondite, eh? —preguntó, arrastrando las zapatillas más allá del arco que llevaba al saloncito con la bóveda de piedra.

Nadie. Estaba a punto de darse la vuelta, extrañado por

aquel silencio, cuando quedó envuelto en una nube verdosa que olía a manzanilla. Demasiado asombrado como para poder reaccionar, intentó dar un paso hacia atrás, pero una vez más la zapatilla verde manzana lo traicionó.

Tropezó, tosió y fue a caerse sobre la alfombra.

Ante él un hombre vestido de monje cerró su ampolla de alquimista y observó pensativo el cuerpo desvanecido del señor Covenant.

—A lo mejor con este podía haberme ahorrado el somnífero, ¿qué dices?

Detrás de él, la asistenta china vestida de seda azul oscuro salió de entre las sombras del armario. A sus pies yacía el cuerpo dormido de la señora Covenant.

—¿Qué hacemos con estos dos? —preguntó.

El otro miró a su alrededor en busca de inspiración. Se apoyó en la Puerta del Tiempo, negra y arañada, por la cual acababan de entrar y respondió:

—No sé qué decirte, Zan-Zan. Creo que las cosas han cambiado un poco desde la última vez que estuve aquí. Mira lo estropeada que está la puerta…

El hombre bajó las escaleras y observó con atención el rostro del señor Covenant.

—Este de aquí no es de Kilmore Cove —decidió antes de cargárselo a cuestas.

La señora Banner miró el reloj: las nueve pasadas. Rick no había vuelto todavía. La cena se había quedado fría. Y ella,

esperando a su hijo, no había probado bocado. El paquete con las gelatinas de fruta de la pastelería Chubber estaba abierto en el centro de la mesa.

—¿Qué habrá pasado? —se preguntó en voz alta la mujer, como si el simple hecho de pronunciar esa frase fuera suficiente para infundirle seguridad. Volvió a sumirse por enésima vez en los pensamientos que la habían acompañado durante las primeras horas de la tarde. Pensamientos de preocupación e inquietud sobre su hijo. Patricia sentía que le había pasado algo. No necesariamente algo malo, pero sí algo fuerte, capaz de distraerlo y de hacerle olvidar las cosas más banales. Como llegar puntual a la cena. Antes de aquella tarde, Rick se había mostrado tan rutinario como su padre. Le gustaba comer siempre a la misma hora y, en la mesa, era de una puntualidad absoluta.

Sin embargo, eran las nueve pasadas.

Y ni siquiera había llamado.

La señora Banner habría apostado que Rick se encontraba en Villa Argo. Pero no le perdonaba a su hijo que no la hubiera avisado. Y que la mantuviera alejada de sí y de sus cambios. Habían hablado siempre mucho. Mientras que ahora, de repente, Rick se había encerrado en sí mismo, como si hubiera metido en un petate todas las cosas que le pertenecían y se hubiera ido lejos sin ni siquiera pedir permiso. Todo esto había pasado en los últimos días, con una rapidez asombrosa. Rick había cambiado más deprisa en un fin de semana que en todo el año anterior, cuando ella ha-

bía tenido que esforzarse en no poner la mesa para tres, sino solo para dos.

Patricia intentó analizar su preocupación desde otro punto de vista: era como si Rick se hubiera desbloqueado. Entraba y salía de casa como un hombre. Hablaba de sus nuevos amigos. Y Kilmore Cove no le resultaba ya indiferente. Era como si se hubiera despertado del letargo en el que lo había sumido la desaparición de su padre. Y esto, sin lugar a dudas, era un hecho positivo.

Pero olvidarse de ella… no, eso no podía aceptarlo.

Así que tomó una decisión: cruzó la cocina y se detuvo en el pequeño pasillo de la entrada para buscar un par de gafas y un número de teléfono en la agenda de piel roja. Suspiró. Una madre se da cuenta enseguida de ciertas cosas. Quizá no sabe darles un nombre ni una explicación precisa, pero sabe perfectamente cuáles son sus repercusiones y profundidad. Y su sensación era clara: era una cuestión de amor.

Marcó el número de Villa Argo.

El teléfono estaba desconectado.

Colgó. Luego alzó el auricular por segunda vez y volvió a intentarlo.

Desconectado.

La señora Covenant apretó los dientes hasta que le dolieron los pómulos. ¿Qué podía hacer? No tenía ninguna duda de que Rick estaba todavía allí arriba, jugando con sus nuevos amigos de Londres. Y no tenía ninguna duda de que aquel soplo de civilización había ejercido sobre él una

fascinación mayor de la debida... La sola idea de que Rick pudiera quedar deslumbrado por aquella metrópolis tan lejana, la hizo volver corriendo a la cocina y sentarse delante de las gelatinas de fruta de Chubber.

Se comió una. Y justo después otra, ahogando así en el azúcar todo atisbo de amargura.

¿Qué hacer? ¿Tenía que seguir esperando?

Se comió otro dulce.

Y esperó.

Dieron las diez.

Rick no estaba. El teléfono de Villa Argo seguía desconectado. Y Patricia se había comido todas las gelatinas. Intentó recordar los últimos lugares donde Rick le había dicho que había estado y lo primero que hizo fue llamar a miss Biggles para saber si Rick había pasado por su casa.

La anciana señora le respondió rodeada por una nube de ronroneos. Estaba medio dormida. Y no sabía nada de su hijo.

—Y tú, ¿has visto a Cesare? —le preguntó—. No me gustaría que hubiera acabado otra vez encaramado en una farola, ¡pobrecito mío!

Patricia no lo había visto.

La segunda llamada fue al faro de Leonard Minaxo. Mientras marcaba el número, la señora Banner tuvo que contener un intenso escalofrío de miedo. En la comida Rick le había preguntado qué sabía de Leonard Minaxo y ella había dejado caer que era una persona solitaria y que por eso trabajaba como farero. Que había perdido un ojo en el mar y que era un buen amigo de su padre. Después le había preguntado por qué quería saberlo y Rick le había dicho simplemente:

—Oh, por nada…

Pero Patricia conocía bien esa respuesta. Era la misma con la que su marido evitaba hablarle de las cosas que le preocupaban, como cuando cogía las botellas de buceo y se sumergía mar adentro en la bahía.

En compañía precisamente de Leonard Minaxo.

Patricia se acercó el auricular al oído y esperó. La línea estaba libre.

Pero tampoco esta vez contestó nadie.

Ya no sabía a quién más llamar. Dejó una nota a Rick por si volvía, cogió su chaquetón del recibidor y salió de casa. Bajó las escaleras sin encender la luz. Las paredes blancas rezumaban salitre y estaban salpicadas de manchas oscuras. Ni cerró la puerta ni se volvió.

Una vez fuera, caminó velozmente hasta llegar a Salt-Walker, la única taberna del pueblo, y se dirigió directamente a la barra.

—¿Has visto a Rick? —le preguntó al dueño.

—¿Alguno de vosotros ha visto al joven Banner? —preguntó a su vez el hombre a los pocos parroquianos presentes.

Hubo un cruce de miradas. No lo había visto nadie.

—Puede que sí —dijo un pescador. Lo había visto bajar de una pequeña barca en la playa.

—¿Cuándo? —le preguntó Patricia, de repente asustada.

—Sería la hora de la siesta.

—¿Iba solo?

—No, creo que no. Iba con otros dos chicos.

Patricia salió a la calle. Sentía un nudo en el estómago. «De nuevo una barca —pensó, inquieta—. De nuevo el maldito mar.»

—Otra vez no, por favor… —murmuró.

Caminó hasta el muelle de la playa de Whales Call, abrumada por el acantilado. Arriba, en Villa Argo había muchas luces encendidas.

—¿Por qué no cogen el teléfono? —se preguntó la mujer.

Dio la vuelta al muelle. El cielo estaba salpicado de estrellas. El mar liso como una tabla. La luz del faro, zumbando en el horizonte, dio una vuelta enorme e iluminó, por un segundo, una barca varada en la playa.

Cuando la vio, Patricia sacudió la cabeza, intentando alejar ese terrible recuerdo aún reciente. Pero era demasiado fuerte y, como todas las demás veces que había pasado cerca de aquella playa de noche, no logró desterrarlo.

En su memoria apareció en primer lugar Leonard Minaxo. Al pie de la escalera de su casa. En la penumbra. Tenía las manos apretadas como si quisiera rompérselas y la miraba desde abajo con su único ojo.

«Lo siento, Patricia —había susurrado—. Puede que le haya pasado algo a tu marido.»

La mujer había ido corriendo con él justo hasta Whales Call. Y había visto que medio pueblo estaba ya reunido en la arena. Esa noche la playa parecía una media luna ardiente: decenas de antorchas encendidas y de linternas de pescadores la estaban esperando con su gélido abrazo.

En el centro estaba la barca de su marido.

Su barca.

Vacía.

«La ha encontrado Leonard… en el mar…», le había dicho alguien.

Pero una vez en la playa, el farero se había quedado atrás y se había escondido en algún sitio, entre la multitud. El faro estaba apagado.

Solo ardían las antorchas.

Patricia había mirado la pequeña barca de su marido sin verla. Se había acercado. La arena estaba fría.

Dentro de la barca estaba todavía su ropa. Las redes. El equipo de submarinismo. Un envoltorio de tela mojada.

«¿Qué ha pasado?», preguntó a los que estaban a su alrededor.

«No lo sabemos. La barca estaba vacía.»

«Vamos a salir ahora mismo a buscarlo… —habían contestado los pescadores—. Lo encontraremos.»

Alguien le había puesto una mano en el hombro.

Patricia, mientras tanto, había cogido el envoltorio de tela. Lo había abierto sin ni siquiera darse cuenta de lo que contenía. Una vieja llave oxidada, pescada en el mar. Nada más.

La había estrechado contra su pecho. Se había dado la vuelta y había visto todas las caras del pueblo.

Y había intuido que su marido había muerto. Sin duda.

La luz del faro pasó por segunda vez y Patricia volvió rápidamente a la realidad.

Bajó a la playa: la barca varada en la arena era más pequeña que la de su marido. Era una sencilla barca de remos, con un nauseabundo olor a mar. El nombre escrito en la proa le resultaba familiar: *Annabelle*.

Era el nombre de la anciana señora Moore. La primera de la dinastía, que murió trágicamente.

La madre de Rick dirigió hacia Villa Argo y sus ventanas encendidas una mirada llena de odio. Y decidió que era hora de moverse. Y de ir a recoger a su hijo.

Conocía un pequeño sendero que, desde el final de la playa, subía por el acantilado y después seguía ascendiendo hasta llegar al jardín de Villa Argo.

Hacía años que no subía por él, pero estaba segura de que se acordaría perfectamente del camino.

Acarició por última vez la madera fría de la barca y se alejó, desapareciendo en la oscuridad.

BACK

helmet

arming point

mail standard
or collar

gardbrace

stop rib

pauldron

staple and pin
fastening

upper cannon
of the vambrace
(revebrace)

plackart

hinge

guard of
vambrace

lower cannon l

gauntlet

cuisse

tasset

poleyn

greave

mail sabaton

Capítulo (11)
- Una mazmorra
para cuatro -

Dagoberto consiguió liberarse de las garras del soldado y gritó:

—¡Dejadme! ¡Dejadme! ¡Yo no he hecho nada!

—A un centenar de metros, la torre cuadrada del Laboratorio Atronador estaba rodeada de explosiones de colores.

—¡Cuéntaselo a otro, jovencito! —le gritó el soldado que lo había capturado y que lo tenía sujeto en vilo contra la pared.

—¡Yo no he hecho nada! —protestó de nuevo el ladronzuelo—. ¡Yo no he sido!

—Ah, ¿no? Y entonces, ¿quién ha sido? —le preguntó el hombre. Su cota de malla chirriaba, mientras el cielo se encendía con mil colores.

Los otros guardias del Preste Juan habían irrumpido en el campo agujereado del Laboratorio Atronador sin saltar por los aires.

Dagoberto los oyó gritar:

—¡Salid de ahí! ¡Estáis atrapados! ¡No podéis escapar!

Después el soldado que la tenía tomada con él lo zarandeó y acabó perdiendo la concentración en lo que estaba pasando en la torre.

—Y entonces, ¿quién ha sido? —le volvió a preguntar el hombre—. ¿Cuántos ladrones sois?

—¡Ellos no son ladrones! ¡Son dos mercaderes! —confesó Dagoberto—. Un chico y una chica.

El soldado asintió, se dirigió hacia los otros y comunicó la información a voz en grito a sus compañeros.

—¡Dos personas! ¡Hombre y mujer! ¡Venga, buscadlos!

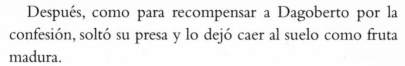
Después, como para recompensar a Dagoberto por la confesión, soltó su presa y lo dejó caer al suelo como fruta madura.

—Dejadme ir, por favor… —gimió él, rompiendo a llorar en un intento de enternecer al soldado—. No soy un ladrón de verdad.

—Claro. Y yo me lo creo… con todas esas cuerdas que llevas. Eres de los Astutos de los Tejados, ¿verdad?

—Soy solo un niño… —sollozó Dagoberto.

Un repentino estruendo hizo que el soldado se diera la vuelta. Dos compañeros suyos habían cargado contra la puerta de entrada del Laboratorio Atronador, derribándola.

—¡Pero por qué hacen siempre esto! —suspiró el guardia, dirigiéndose a Dagoberto—. ¡Si está abierta! ¡Como todas las demás puertas! —Sacudió repetidamente la cabeza, incrédulo ante tanta estupidez. Después volvió a dirigirse a Dagoberto—: Y ahora tú vienes conmigo, jovencito. ¿Jovencito? ¡Eh, jovencito!

El ladronzuelo había desaparecido. El chasquear de una cuerda y la chispa del garfio atrajeron la atención del soldado, que miró hacia arriba. El hombre alzó el puño y gritó hacia el oscuro tejado que quedaba por encima de su cabeza:

—¡Baja enseguida de ahí, mocoso! —Distinguió una figura agazapada que se recortaba contra el firmamento estrellado—. Baja enseguida, ¿has oído? ¡O te ensarto con las flechas! ¿Me has oído, mocoso?

Ninguna respuesta.

—¡Si te pillo —gritó el soldado—, te meto en una celda por el resto de tus días!

Camuflados entre los engranajes del enorme telar, uno en una parte y el otro en la otra, Jason y Julia intentaban contener la respiración. Si hubieran podido, habrían intentado, además, acallar su corazón, que sin embargo latía como un obseso bajo sus costillas, como si quisiera escapar él también.

Jason tenía el rostro cubierto de hilos de lana basta, que se movían al menor movimiento de aire. Julia, por su parte, estaba escondida bajo un complicado mecanismo de pedales, que evidentemente servía para accionar esa gigantesca máquina de coser. Habían decidido que aquella habitación era su única posibilidad de que no los encontraran y se habían separado para poder ocultarse mejor. Por si acaso, antes de separarse se habían puesto de acuerdo sobre dónde volver a verse si tenían que salir huyendo por caminos distintos: en el claustro por el que habían llegado.

A través de la ventana de cristales azogados habían oído los gritos amenazadores de los soldados que rodeaban el laboratorio y se habían escondido a toda prisa. Después los habían oído atravesar la puerta e irrumpir en la habitación con un estruendo de hojalata y lanzas rotas.

Si no hubiera sido por el miedo, habría sido hasta divertido presenciar la escena de dos energúmenos derribando con todas sus fuerzas una puerta abierta. Los soldados se movían por la habitación en un *crescendo* de gritos y confusión. Unos pasos de hierro subían hacia la habitación de la chimenea. Otros inspeccionaban una serie de salas del Laboratorio Atronador que Jason y Julia no habían podido ni siquiera descubrir.

—¡Por aquí! ¡Por allí! ¡Quietos! ¡Moveos! —gritaban decenas de voces diversas, en un fragor de objetos rotos y arrojados por los suelos.

Invisibles el uno para el otro, los dos gemelos rogaron que sucediera lo imposible, o sea, que nadie se fijara en aquella habitación oscura que estaba al lado de la entrada. Pero sus ruegos no habían sido ni siquiera formulados cuando una antorcha apareció crepitando en el umbral, acompañada por una mano robusta y una voz como poco inquietante.

—¡Ubertino! ¡Alcmaro! ¡Inspeccionad esta habitación!

Unos pasos veloces, dos alabardas plantadas en el suelo y:

—¡Enseguida! ¡A sus órdenes! —respondieron al instante Ubertino y Alcmaro.

La antorcha cambió de mano y los dos soldados empezaron a buscar entre las telas. La luz amarilla salpicaba de manchas la lana, los brazos de madera de la máquina, los mecanismos de los pedales y las cuadraturas de la urdimbre ya trenzada.

Oculto en la penumbra, Jason no podía ni siquiera respirar. Vio las dos figuras poco agraciadas de los soldados que daban vueltas en torno al telar. Intuyó por sus pasos inseguros que ellos también estaban preocupados por la extraña atmósfera del lugar. Pero entendió por su modo de proceder que las preocupaciones pasaban a un segundo plano ante las órdenes que habían recibido. Las alabardas indagaban entre los tejidos: sus puntas curvas se insinuaban entre las delicadas colgaduras del telar y abrían por doquier cortes profundos. Las manos rudas de los dos hombres recorrían bruscamente los marcos de madera, sus pies volcaban los cestos de mimbre llenos de carretes de hilo, que rodaban ruidosamente por toda la habitación.

—¿Has visto algo? —preguntó Ubertino a su compañero, después de un primer reconocimiento veloz.

Alcmaro pisó algunos carretes con las botas y sacudió la cabeza.

La hoja de una alabarda pasó silbando a pocos centímetros del rostro de Julia y se fue a detener cerca de las cuerdas que regulaban los pedales bajo los cuales se había escondido. Los soldados se acercaron sosteniendo en lo alto una antorcha que iluminaba sus rostros picados de viruela.

—Han dicho que los ladrones son dos —dijo Alcmaro.

—¿Y por qué lo saben?

—Han capturado al tercero ahí fuera.

«Dagoberto», pensó Jason, sin sentir ninguna pena por él. Inmóvil en las sombras, esperaba que los dos hombres se alejaran. Ellos, sin embargo, se acercaron al telar y, sin ninguna razón aparente, cortaron una de las cuerdas que sostenían los pedales. Parte de la máquina cayó al suelo, a un milímetro de los pies de Julia, que pegó un grito asustada.

—¡Mira! —exclamó Ubertino—. ¡Aquí está la ladrona!

Se armó un pequeño alboroto. Julia intentó escapar bajo el telar, pero los pedales, que ahora estaban tirados por el suelo, le cortaban la retirada. El soldado la cogió por una pierna y la zarandeó.

—¡Te he pillado! —dijo alegre, arrastrándola hacia sí.

—¡Jason! —gritó Julia, alargando las manos hacia su hermano para intentar liberarse.

El muchacho salió de su escondrijo e intentó agarrarla, pero, debido a la oscuridad, se dio en la frente con un pico del telar. Sintió un dolor fortísimo y por un instante lo vio todo blanco.

—¡Jason! —volvió a gritar Julia desde algún lugar cercano a él.

Jason cayó al suelo, sujetándose la cabeza, que mientras tanto se había puesto a redoblar como una campana. El blanco se volvió gris y el gris, rápidamente, se difuminó convirtiéndose en negro. Oyó aún más jaleo a su alrededor, un alboroto creciente y más gritos de su hermana y consiguió murmurar algo así como:

—Ya voy, hermanita.

Pero en realidad no se movió ni un milímetro, aturdido como estaba por el dolor, que le nubló progresivamente toda percepción.

—¡Te pillé, maldita! —oyó exclamar a un soldado.

Oyó otros gritos más lejanos:

—¡Está aquí! ¡La hemos encontrado!

Los habían cogido, pensó Jason, acurrucándose en posición fetal. Esperaba que lo levantaran del suelo de un momento a otro para llevárselo, pero no sucedió nada.

Al contrario: las voces y los gritos se atenuaron, los pasos de los soldados se alejaron y muy pronto a su alrededor no quedó más que el silencio.

Cuando volvió a abrir los ojos, estaba solo. El telar de madera se cernía sobre él. Jason parpadeó en la oscuridad intentando ver algo. Por la luz de luna que entraba a través de la única ventana, se dio cuenta de que era todavía de noche.

—¿Julia? —preguntó, obteniendo como única respuesta el eco de su propia voz.

Se deslizó fuera, caminando a tientas bajo el telar. La cabeza le palpitaba con un latido fuerte y sordo y, si la rozaba apenas, sentía punzadas dolorosas. En la frente le asomaba un gigantesco chichón, morado e hinchado, justo debajo del nacimiento del pelo.

Se levantó. El suelo de la habitación estaba lleno de carretes de madera y retales.

—¿Julia?

Salió de la habitación tambaleándose. La puerta del atrio estaba abierta y la mitad había sido arrancada de la pared. En las escaleras estaban las colchas del jergón de paja.

Jason salió al aire fresco de la tarde, respirando a pleno pulmón. El campo sembrado de hoyos parecía aún más desolado que antes.

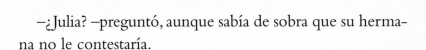

—¿Julia? —preguntó, aunque sabía de sobra que su hermana no le contestaría.

Se tocó de nuevo la frente, intentando reconstruir qué
podía haber pasado. Se había desmayado y los soldados no
lo habían descubierto. ¿Por qué? ¿A lo mejor habían pensado que estaba muerto?

Miró desconsolado los cuatro postes que sostenían la
cuerda de la campanilla y el muro situado al otro lado del
campo, no sin antes preguntarse si tendría que atravesarlo
de nuevo colgado de la cuerda. Pensó que no lo lograría.
Empezaba a encontrarse cansado de verdad.

Muy cansado.

Así que se sentó delante de la entrada del laboratorio, exhausto. Ahora que los soldados habían capturado a su hermana y se la habían llevado a saber dónde, sintió más que
nunca el peso de la soledad. No estaba Rick para darle con-
sejos inteligentes y no estaba Julia para frenar sus desenfre-
nos. No estaba tampoco Nestor, ni ninguno de los habitantes de Kilmore Cove. Habían desaparecido todos.

En aquella ciudadela laberíntica encaramada en la cima
de un precipicio, Jason no sabía qué hacer. No tenía a nadie.
Ningún amigo, ningún objeto, ningún mapa, ningún fin.
Era la persona equivocada en el sitio equivocado.

Después, en mitad de sus elucubraciones, oyó un ruido a
sus espaldas. Percibió un lento movimiento, como de algo
que se estuviera acercando desde arriba.

Se dio la vuelta de golpe.

Lo que se encontró enfrente fue un rostro boca abajo. El pelo colgaba hacia abajo. La nariz tenía los orificios en lo alto. La boca, nada sonriente, tenía el labio de arriba en la parte de abajo, y viceversa.

—Hola —lo saludó la cara invertida.

Después, chasqueando las cuerdas, Dagoberto se dejó caer al suelo acurrucándose suavemente a los pies de Jason.

—¿Cómo estás?

El muchacho no replicó y dejó que fuera el ladrón quien hablara.

—Lo siento por tu hermana.

Jason pensó que tenía que haber sido Dagoberto quien les había dicho a los guardias que había otras dos personas, quizá a cambio de la propia libertad, y tuvo que contenerse para no darle un puñetazo. Se limitó a darle un violento empujón, que mandó a Dagoberto contra la pared.

—Se lo has dicho tú, ¿verdad?

—Claro —admitió el pequeño ladrón—. Y he conseguido escapar.

—¡Eres un cobarde! ¡Por tu culpa han atrapado a Julia!

—Pues yo creo que no. No he sido yo el que ha hecho estallar todos los fuegos artificiales de la ciudad como para decirles a gritos a los guardias: «¡Estamos aquí! ¡Venid a arrestarnos!».

—¿Dónde la han llevado?

—Dónde los han llevado, querrás decir.

—No entiendo.

—Eran dos.

—¿Dos?

Dagoberto se acercó a Jason.

—Había otra persona en el laboratorio. Otro ladrón que os seguía.

—No es posible —murmuró Jason, acordándose sin embargo de repente del encuentro en el olivar del que le había hablado Julia. Pero decidió no mencionarlo. Estaba aprendiendo a no fiarse.

—¡Lo he visto yo! —insistió Dagoberto—. Con mis propios ojos.

—Me puedo fiar de tus ojos —comentó Jason con tono despreciativo—, pero no de tu boca. Después de todo, nos has vendido, ¿no? A lo mejor estás ya de acuerdo con los soldados para que te den nuestro cuaderno…

—Y entonces, ¿por qué me habría quedado aquí? —El ladrón le mostró las palmas de las manos vacías—. Como ves, las cosas no me van muy bien que digamos.

Jason hizo una mueca, preocupado.

—El cuaderno lo tiene Julia.

—Por poco tiempo, me temo.

—¿Por qué? ¿Qué harán con ella?

—Lo que hacen con todos los ladrones. La llevarán a la cárcel, la registrarán y la encerrarán en una mazmorra por mucho tiempo, a la espera de decidir qué hacer con ella definitivamente. ¡Y tranquilo, que las puertas de las celdas están bien cerradas con llave!

—¡Pero Julia no es una ladrona!

—Ve a decírselo a ellos —se burló Dagoberto—. Todo el que sea sorprendido por la noche en la ciudadela sin permiso será automáticamente un ladrón. Órdenes de…

Jason sacudió los hombros.

—Sí, ya, órdenes del Preste Juan… ¡Que le parta un rayo! —Encontrando en la rabia algo de su proverbial determinación, Jason se golpeó con el puño la palma de la otra mano—. Tengo que ir a hablar con alguien. Y tengo que encontrar a mi hermana.

—Buena suerte.

—¿Dónde están las mazmorras?

—Más o menos en aquella dirección —respondió Dagoberto, indicándole los tejados del castillo que se difuminaban hacia el interior de la fortaleza hasta llegar prácticamente al horizonte.

Jason asintió, sarcástico.

—No te preocupes. Ya la encontraré yo solo.

—Pues sí. No tienes nada para pagarme si te hago de guía —añadió Dagoberto.

Ante la idea de adentrarse él solo en aquel dédalo de callejuelas y edificios, Jason sintió una punzada de miedo que intentó disimular tras un ímpetu fanfarrón:

—Creo que pasaré antes por Stallaraglio para luego atajar por Cien Pavos Reales, para llegar antes… —dijo, pescando al azar en la memoria algunos nombres que había leído en el cuaderno de Ulysses Moore.

Dagoberto estaba sorprendido.

—¿Sabes de verdad cómo llegar hasta allí?

—Al llegar al muro a la derecha, después a la izquierda, hacia arriba, se sube la escalera, se vuelve al olivar, izquierda, izquierda, se pasa junto al pórtico de los señores sin rechistar y se baja la escalera de los dos leones hasta la fuente —enumeró tranquilamente Jason, intentando recordar a la inversa el recorrido que habían hecho para llegar hasta donde estaban. Al final, al darse cuenta de que lo había conseguido, se puso un dedo en la sien y sonrió—: Está todo aquí dentro, ¿entiendes? ¡Yo tengo una memoria prodigiosa! Por eso es por lo que el cuaderno lo tiene Julia. A mí después de haberlo leído una vez, ya no me hace falta volverlo a mirar —mintió—. Recuerdo perfectamente los recorridos. Todos los recorridos.

Dagoberto no sabía si creerle o no.

—Incluido el de la fuente de la eterna juventud… —susurró Jason, haciendo crujir los dedos de la mano—. Precisamente pensaba ir allí a tomarme algo después de salvar a Julia…

—Estás mintiendo —decidió Dagoberto.

Jason fingió que no estaba dispuesto a discutir. Se despidió del ladrón con indiferencia y empezó a alejarse, rogando que él le siguiera el juego.

—Puede que tengas razón —dijo Jason, mientras se alejaba—. Pero ¿y si no es así?… Estás perdiendo tu última oportunidad para conocer el camino de la eterna juventud.

Cuando le quitaron la mordaza, Julia gritó:

—¡Dejadme! ¡No sabéis lo que estáis haciendo!

Estaba en una garita con el techo bajo excavada en la roca y llena de humo negro y grasiento. Dos soldados le ordenaron que se quitara la ropa y se pusiera un sayón incoloro con un olor nauseabundo. Arrojaron la ropa y el cuaderno de Ulysses Moore en un baúl, que cerraron con un ruido desesperadamente tétrico. Descalza, asustada y muerta de frío, la chica empezó a saltar de un pie a otro para intentar evitar el contacto con el suelo helado.

Después de ocuparse de ella, los soldados hicieron lo mismo con un viejecito con la cara sucia, el pelo rapado al cero y unos ojos redondos del mismo color que la espalda de un sapo. Al revés que Julia, el viejecito obedeció las órdenes sin rechistar, como si, a fin de cuentas, aquel procedimiento fuera para él algo normal. Su ropa apestosa, en lugar de meterla en el baúl, la arrojaron directamente al fuego de la chimenea.

—¡Aquí tenemos a nuestros ladrones de pacotilla! —rió el soldado, volviéndoles la espalda.

El viejo con la mirada de rana susurró a Julia:

—Lo siento…

La chica, por su parte, se puso furiosa:

—Pero ¿qué está diciendo? ¡Yo no soy una ladrona! ¡Había ido al Laboratorio Atronador a buscar a un amigo!

—¿Ah sí? ¿De verdad? ¿Y entonces él?

—¡A él ni siquiera lo conozco! —insistió Julia, señalando al viejecillo.

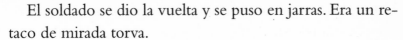

El soldado se dio la vuelta y se puso en jarras. Era un retaco de mirada torva.

—Por el olor, diría que hemos atrapado a un Ladrón de las Alcantarillas, ¿me equivoco?

El viejecillo asintió. Después se dirigió a Julia:

—Soy Rigoberto, ¿te acuerdas?

—¡Ah! ¿Veis como sí os conocéis? —exclamó el soldado, triunfante.

—¡No es verdad! ¡No lo había visto nunca en mi vida! —Julia dio dos pasos veloces hacia el soldado—. Se lo ruego... escúcheme: yo soy una amiga de Black Vulcano... he ido... he ido a su casa para dejarle un mensaje. Necesito hablar con él. Solo tienen que encontrarlo y él se lo explicará todo. Si pudiera llamarlo...

El soldado la apartó bruscamente.

—No me interesa de quién eres amiga ni por qué.

—Pero esto es un error, ¿entiende?

El hombre sacó un trozo de espada de su funda.

—Lo que he entendido es que ahora estarás calladita hasta que te lleve a la celda...

—Pero no es posi...

La espada danzó hasta colocarse bajo la nariz de Julia. Olía a herrumbre y a fango seco.

—Y te quedarás calladita también después de que te haya metido en la celda. ¿Está claro?

—Se lo ruego... —le suplicó Julia, mientras una lágrima de rabia le surcaba la mejilla.

El soldado la empujó sin muchos miramientos y le dio a Rigoberto una patada.

Después se colocó detrás de ellos y los obligó a recorrer un largo pasadizo húmedo y débilmente iluminado que conducía a un foso lleno de carpas. Los peces, antiguos y del mismo color que el pergamino, se deslizaban lentamente en las aguas inmóviles. Los tres pasaron por encima del foso y se detuvieron ante una puerta. El soldado dio un silbido para que le abrieran la celda y los empujó dentro a punta de espada.

—Se lo ruego —dijo Julia por última vez—. Tengo frío en los pies. Si por lo menos me pudiera dar unos zapatos…

—¡Si tienes frío, pon los pies para arriba! —sonrió malvadamente su carcelero, dándole con la puerta en las narices.

—¡Llame a Balthazar! —gritó una vez más Julia—. ¡Balthazar! ¡Él vendrá a buscarme!

Del otro lado, sin embargo, oyó solo una carcajada ronca y los pasos del soldado que se alejaban. Desconsolada, la muchacha se recostó sobre la puerta, sollozando y repitiendo en voz baja el nombre de Balthazar.

Después se dejó caer al suelo, apretando las rodillas entre las manos. El suelo de la celda era húmedo y frío como el hielo. En el aire flotaba un olor coagulado y rancio, que podía sentirse aún más debido a la oscuridad reinante.

Julia oyó ruido de unos pasos que se arrastraban, pero no levantó la vista, convencida de que pertenecían a su compañero de desventuras, el escurridizo Rigoberto de ojos de

batracio. Sollozó envuelta en su propia desesperación, sin pensar en nada más. Oyó un lento cuchicheo, madera que crujía, el hierro de una cadena y, después, de repente, una voz femenina salió de la oscuridad como una puñalada:

—¿Y se puede saber quién es el tal Balthazar ese que vendrá a salvarte?

Julia se quedó tan helada al oír aquella voz que por un instante sintió que se le paraba el corazón. Se puso de pie de un salto y permaneció inmóvil como una estatua de sal, escudriñando la pequeña celda con todos los sentidos alerta. Ahora que sus ojos se habían acostumbrado a la oscuridad, conseguía distinguir los perfiles de una saetera, de cuatro postes de madera fijados a las paredes con unas cadenas y de tres personas presas como ella. Una, pequeña y encorvada, parecía Rigoberto. La segunda, la que había hablado, era una mujer que estaba tumbada en una de las desnudas yacijas. Y la tercera se cernía ya sobre ella: era un hombre que la cogió a traición por el hombro.

—¡Pero mira… quién está aquí! —le soltó en la cara Manfred con un aliento hediondo—. ¡La jovencita de Villa Argo!

—No —gritó entonces Julia, soltándose de aquella mano, incapaz de dominar el miedo—. ¡No puede ser! ¡Sacadme de aquí! ¡ ¡Sacadme de aquí enseguida! —gritó, golpeando con los puños una y otra vez la puerta de la mazmorra.

En su jergón de madera, Oblivia Newton rompió a reír:

—Déjala, Manfred. ¡Deja, deja que escape si quiere!

Lighthouse

Ocean Rock - Kilmore Cove

lmore Cove's Caves

Capítulo (12)
- El gran verano
de Kilmore Cove -

En casa de Nestor reinaba un extraño silencio, roto solo por el perezoso ronquido de Fred Duermevela, que dormitaba en el sofá del fondo. Vista desde fuera, la habitación parecía un óleo de la escuela flamenca, lleno de detalles. Dos hombres estaban sentados a los lados opuestos de una mesa y en medio había un chico pelirrojo de mirada ardiente. Nestor, con el rostro hirsuto, acababa de leer por enésima vez una hojita impresa con muchos errores por la Vieja Lechuza de la oficina del ayuntamiento. El mensaje, expedido desde la Venecia del siglo XVIII por Peter Dedalus, decía que a Oblivia le habían hecho creer con engaño que tenía que buscar la Primera Llave entre las de Black Vulcano, solo para poderla apresar en un lugar alejado de Kilmore Cove. Pero de este plan los chicos no sabían nada, por lo que seguían convencidos de que la Primera Llave estaba en poder de Black Vulcano.

Leonard, sentado en el otro extremo de la mesa, tenía aún el pelo mojado, tosía violentamente y se ajustaba una y otra vez el parche negro que le tapaba el ojo arrancado por un tiburón. Rick, en la cabecera de la mesa, miraba fijamente la tela dañada de un cuadro que retrataba al joven Ulysses Moore, el propietario de Villa Argo. Era muy, muy parecido a Nestor.

Ninguno de los tres hablaba, como si nadie consiguiera decidir por dónde empezar. El único que parecía relajado era Fred Duermevela, que, exhausto por el día que había tenido, había caído redondo sobre el sofá de Nestor.

Junto al sofá había una ventana que daba al mar. Había, además, un escritorio con tres cajones en el lado izquierdo. Un candil que iluminaba la habitación. La maqueta de un velero. Una papelera llena de hojas hechas una bola, un baúl, una alabarda apoyada en la pared, algunos cuadros de veleros. Parte de un tren de juguete sobresalía de la alfombra. En la butaca, un edredón de lana que Nestor usaba cuando le dolían los huesos. A su lado, un baúl lleno de cuadernos escritos con una caligrafía incomprensible.

Desde la ventana se divisaban las ramas de un enorme sicomoro, que crujían lentas en la noche y se inclinaban sobre el tejado de Villa Argo como una caricia. El desván de Penelope estaba apagado.

Rick lo observó todo. Luego les preguntó a los dos hombres:

—¿Así que Black Vulcano no tiene la Primera Llave?

Nestor y Leonard salieron del letargo de sus propios pensamientos.

—Nadie ha encontrado nunca la Primera Llave —respondió el jardinero.

—¿Y por qué tendría que creerte? —replicó Rick, señalando el retrato de la mesa—. Te has ocultado durante todo este tiempo. Y nos has engañado a todos.

Nestor sostuvo su mirada.

—Tú eres Ulysses Moore —lo acusó Rick.

—Rick... yo... —admitió Nestor moviendo la cabeza—. Es una historia muy larga, y yo ahora...

—¿Quién tiene la Primera Llave? —preguntó Rick a Leonard Minaxo, interrumpiendo a Nestor con intención de ofenderlo.

También el gigante de un solo ojo parecía avergonzado.

—Hasta esta tarde, Rick, te habría contestado lo mismo que Nestor.

—¿Y qué ha pasado esta tarde?

Leonard se dirigió al viejo que estaba sentado enfrente.

—Que después de veinte años de búsqueda… he encontrado los restos de la nave.

—¿Qué restos? ¿Qué nave? —preguntó el chico pelirrojo.

—Rick, por favor… —gimió Nestor.

Rick golpeó con la palma de la mano sobre la mesa y Fred Duermevela dio un respingo en el sofá.

¡Ah, no! ¡No me digáis «por favor» ahora! ¡Después de todas las mentiras que me he tragado! ¡Y de los cuentos que me habéis contado! Los Caballeros de Kilmore Cove… ¡Menuda patraña, Nestor! Pero ¿por qué sigo llamándote así?

—¿No podríamos cambiar de tema?

—¡Claro! Pero ¿por qué no lo haces tú mismo? ¡Con lo bien que se te da trucar las cartas! —replicó el chico con tono sarcástico, acordándose de los datos del viejo que figuraban en los registros de Kilmore Cove.

Rick puso la mano en el retrato. Ulysses Moore era un joven Nestor. Si uno miraba el cuadro y después al jardinero, no cabía la menor duda.

—Mira, Rick… —intervino Leonard—. Tranquilízate. Al fin y al cabo, estamos en el mismo barco. Y las cosas que no sabes no te las hemos contado para protegerte.

Rick señaló un punto indefinido fuera de la puerta.

—Sí, claro. Y a fuerza de protegernos, Jason y Julia se han ido al Jardín del Preste Juan con Oblivia y su esbirro.

—Eso no podíamos preverlo. Ha sido un error —replicó Leonard—. Pero ¿quién no comete errores?

—Ahórrate las frases hechas, por favor.

—Si es eso lo que quieres, entonces no me ahorraré nada —declaró Leonard, con tono nuevamente duro—. Y te diré lo que he venido a contarle a Nestor esta tarde.

—Quieres decir a Ulysses Moore.

—Quiero decir sencillamente que sé quién ha encontrado la Primera Llave.

El guardián del faro se metió una mano en el bolsillo.

—¿Quién? —preguntó Rick. El labio inferior le temblaba ligeramente.

—Tu padre —respondió Leonard Minaxo, dejando en la mesa el reloj de submarinista que había arrancado de la muñeca del cadáver que yacía entre los restos de la nave.

—¡No te permito que me tomes el pelo! —susurró Rick, reconociendo al instante el reloj. La caja resistente, la lechuza en la esfera, las dos iniciales «P. D.» de su fabricante—. No te lo permito.

—No te estoy tomando el pelo.

—N-n-no es posible. Es sencillamente imp-p-posible…
—tartamudeó Rick, que de repente se había convertido de
nuevo en el chiquillo temeroso que era.

—Pues yo creo que sí. Tu padre y yo éramos amigos. Grandes amigos. Eso creo que ya lo sabías…

Rick, lentamente, asintió. Nestor se retorcía las manos a
su lado.

—Bien —prosiguió Leonard—. Ahí fuera, en el fondo del
mar, yacen los restos de una nave. Está tapada por la arena y
por eso ha sido tan difícil encontrarla. He tenido que son-
dear el fondo durante veinte años para dar con ella. —El
hombre señaló a Nestor—: Ellos creían que yo estaba loco.
Y que la nave no existía. No me creían. Sin embargo, tu padre… tu padre me ayudó.

—¿Por qué? —preguntó Rick con un hilo de voz.

—Esa nave era muy importante para mí. Se llamaba *Fiona*,
como la mujer de Raymond Moore. Raymond era un antepasado de la familia Moore. Fue la persona que rescató
Villa Argo del abandono y construyó Turtle Park y buena
parte de las cosas… secretas… que tú conoces. Fue él quien,
hace algunos siglos, descubrió la existencia de las puertas y
de las llaves. Incluso publicó un artículo sobre ellas en el
Manual de los escapistas o algo parecido.

Una vez más Rick asintió.

—Lo he leído. Lo encontramos en la biblioteca de Villa Argo.

—Ese artículo fue un error, pero Raymond no se dio
cuenta hasta mucho tiempo después, cuando decidió man-

tener en secreto su descubrimiento. Hace siglos se podía llegar a Kilmore Cove solo por mar. Y fue precisamente así como llegó él. A bordo de la *Fiona*. Vino aquí, descubrió las puertas, las llaves y, sobre todo, la Primera Llave, la única que podía abrir y cerrar todas las puertas del tiempo. Incluso las que no se encuentran en Kilmore Cove...

Rick abrió los ojos de par en par:

—¿Hay también Puertas del Tiempo fuera de Kilmore Cove?

—Nadie lo sabe, Rick —intervino Nestor.

Leonard asintió.

—Ninguno de los chicos del gran verano llegó a descubrirlo nunca.

—Me he perdido —dijo Rick, mirando primero a uno y después al otro.

—Ten un poco de paciencia. Y lo entenderás todo.

Leonard dio un largo suspiro y después comenzó:

—Hace muchos años, una tarde de final de primavera, llegaron al pueblo...

—Leonard... —lo interrumpió Nestor, pero el guardián del faro lo hizo callar.

—Unas personas —concluyó—. Eran de Londres y se llamaban Moore. Subieron a Villa Argo sin ni siquiera dignarse mirar a la gente del pueblo. Después de la comida, uno de ellos, un muchacho de once años, decidió bajar a Kilmore Cove por su cuenta. Fue a explorar. Lo recuerdo como si fuera ayer mismo. Yo estaba en el muelle, mirando el tapón de corcho de mi caña de pescar que no quería saber nada de hundirse, cuando el chico se me acercó por detrás y me dijo: «¡Así no pescarás nunca nada!».

Nestor levantó un dedo, como para poner una objeción.

–No te dije eso.

–¡Claro que sí! Me acuerdo perfectamente. ¿Y sabes por qué me acuerdo? Porque me asustaste.

–¡Sí, claro! ¡Si hacías dos como yo!

–Pero tenía solo ocho años. Y tres años de diferencia cuando se es pequeño son muchos. –Leonard se apoyó en la mesa, inclinándose hacia Rick–. Y, además, aquel chico de Londres sabía lo que se hacía: me hizo sacar el sedal, examinó el anzuelo, miró los gusanos y sentenció que era ahí donde estaba el problema. Después me convenció para ir con él por otro cebo. Subimos a Turtle Park a buscar lombrices y cogimos un puñado. Dos horas después, con una lombriz fresca como cebo, mi primer pez gigantesco picó.

Nestor sonrió.

–No era gigantesco.

–Lo era para un niño de ocho años.

Rick miró a Nestor.

–¿Y tú cómo es que sabías tanto? En Londres no se aprende a pescar.

El jardinero se encogió de hombros.

–Lo había leído en un libro. Y no estaba para nada seguro de que funcionase.

—¡Pero funcionó! —dijo Leonard retomando el hilo—. Y empezamos a pescar juntos con cierta regularidad. Luego él volvió a Londres con sus padres, pero dijo que volverían a la semana siguiente y que pasarían las vacaciones de verano en el pueblo. Así que lo invité al parque para que conociera a los otros chicos del pueblo. Gastamos una broma a miss Stella, nuestra maestra.

—Que es también la mía —dijo Rick.

—Hay cosas que no cambian nunca —sonrió Leonard—. La broma fue esta: Nestor tenía que colarse entre nosotros en la fotografía de final de curso sin que ella lo descubriera. Año 1958, en el parque: miss Stella, que nos contaba y nos volvía a contar, perpleja, y Walter Gatz, el fotógrafo más serio y circunspecto que te puedas imaginar, venga a colocarnos una y otra vez para la foto. Fue un día memorable. Y fue ese día, con la tontería de la foto en la que Nestor aparece cortado por la mitad, cuando quedamos unidos para toda la vida. Él, algunos alumnos de la clase y yo: Victor Vulcano, que justo ese verano se convertiría para todos en Black Vulcano, Phoenix, quien aprendería después a tocar las campanas de la iglesia de St Jacobs, la coleccionista de suspensos Clitennestra Biggles, sí, la hermana de Cleopatra, que después trabajaría como maestra lejos del pueblo, John Bowen, el doctor, por lo menos los primeros días… y el pequeño Peter. El hijo del relojero del pueblo.

Rick empezó a relajarse poco a poco. Ahora entendía por qué Ulysses Moore y sus compañeros habían seguido siendo

amigos durante tanto tiempo: las amistades de la infancia du-
ran toda la vida. Había, sin embargo, algunas personas que no
habría pensado que pudieran formar parte del grupo: el padre Phoenix, el doctor Bowen y Clitennestra Biggles.

Leonard volvió a su historia:

–Después Nestor nos invitó a subir con él a Villa Argo,
donde conocimos…

–Leonard… –suspiró el viejo jardinero.

–… a su abuelo: Mercury Malcom Moore –prosiguió
Leonard–. Una persona terrible, austera y malvada, que parecía odiar a todos los niños.

Rick no tuvo que hacer ningún esfuerzo para creerle:
había visto el retrato del abuelo de Ulysses Moore entre los
cuadros de la escalera y había descubierto que el motivo de
aquel odio era que su única hija, Annabelle, había muerto al
dar a luz a Ulysses. El nieto, a los ojos del abuelo, había sido
la causa de la desaparición de su hija.

–Justo lo contrario de su padre –continuó mientras tanto Leonard–. Se llamaba John, pero no era un Moore.

–John Joyce –susurró Rick–. He visto su nombre entre
las sepulturas del panteón.

–Era una persona maravillosa. Un poeta alegre y des-
preocupado, un romántico soñador, capaz de encontrar
algo hermoso y positivo en cualquier cosa.

–Cuando mi madre murió… –dijo Nestor de repente–,
mi padre fue la única persona que no derramó ni una lá-

grima. Dijo que ella era una gran viajera y que no se podía impedir a una gran viajera seguir su curso. Dijo que estaba seguro de que ella lo estaba esperando, al igual que lo había esperado durante todos esos años en que todavía no se conocían. Y él era feliz imaginándola en el umbral de aquel lugar al que se llega cuando se traspasa la última Puerta del Tiempo… La de la muerte. –Nestor golpeó nerviosamente la mesa con la mano–. Pero, a los ojos de mi abuelo, esa falta de lágrimas fue solo la confirmación de sus sospechas: según él, mi padre se había casado con mi madre solo para heredar sus riquezas. Y así empezó a hacer de todo para que no le correspondiese nada del patrimonio familiar. Y mi padre no heredó nada, excepto esta casa.

Leonard retomó la palabra.

–El viejo Moore consideraba esta mansión un tugurio polvoriento que había que vender al mejor postor. Pero John Joyce no pensaba lo mismo y, cuando murió el abuelo, logró quedarse con ella. Y así, en aquel verano de 1958, fue cuando un grupo de muchachos descubrió la peculiaridad de este lugar y… vivió una increíble aventura entre las colinas de Turtle Park. –Leonard sonrió melancólico–. Una aventura que cambiaría para siempre sus vidas.

–Nos encontramos todos en la verja del parque, que en aquellos años estaba muy bien cuidado. Faltaba solo Bowen. Tampoco esta vez sus padres lo habían dejado salir por miedo de que le pudiera suceder quién sabe qué desgracia. El

futuro doctor no participó casi nunca en la aventura y acabó por no formar nunca de verdad parte del grupo. Clitennestra llegó tarde, como siempre, pero, como era la única chica del grupo, estuvimos todos de acuerdo en esperarla. Era muy guapa, algo frívola pero llena de energía. Luego entramos en el parque, llenos de expectativas: mientras nos hacía la foto, el fotógrafo había dejado escapar que en aquel parque, después de la fuente de las tortugas, había una gigantesca gruta. Clitennestra afirmaba que le había oído decir también que allí estaba escondido el tesoro de unos piratas. Y la idea se había apoderado de nuestra fantasía infantil. Estábamos decididos a embarcarnos en la empresa, aunque sabíamos que no estaba exenta de riesgos. El primero, y principal, era el guarda: las voces que habíamos oído decían que vigilaba los senderos del parque acompañado de dos ferocísimos perros de guardia. Ninguno de nosotros sabía nada más. Clitennestra sostenía que los perros rondaban por el parque también de noche, que tenían los ojos rojos como los del diablo y que echaban humo por las narices. Peter tenía un miedo atroz y quería volver atrás. Nosotros, sin embargo, estábamos dispuestos a desafiar la suerte. Y al guarda con sus perros. Phoenix, previsor como siempre, había robado de la carnicería de sus padres una montaña de carne picada, con la que habíamos hecho unas albóndigas rellenas de pimienta y guindilla. Teníamos planeado tirárselas a los perros si nos sorprendían, convencidos de que en cuanto mordieran aquellas bombas picantes saldrían huyendo con el rabo entre las patas.

Rick rió burlonamente.

—Armados de esta guisa, nos adentramos en el parque —prosiguió Leonard—. Fuimos sin orden fijo hasta la fuente de las tortugas y luego hasta la caseta de las herramientas en la que creíamos que el guarda del parque permanecía veinticuatro horas al día con sus terribles perros. Según Vulcano, era mejor enfrentarse de inmediato al peligro para después poder buscar la entrada de la gruta sin que nos molestara nadie. La caseta era blanca y estaba escondida entre los árboles, en la cima de la colina, donde, bajo la hierba, asomaban las primeras rocas.

Nestor suspiró, recostándose en el respaldo de la silla.

—Cuando llegamos cerca de la caseta de las herramientas, Peter pegó un grito: había oído el jadeo de unos perros. Nosotros al principio pensamos que se trataba de una broma. El poder de la sugestión, de las historias de Clitennestra y del cementerio de Kilmore Cove que descollaba en lo alto de la colina cercana... Pero Peter tenía razón: se oían de verdad los aullidos de unos perros, que salían de detrás de las paredes encaladas de la casa. Así que nos dividimos y empezamos a arrastrarnos panza abajo como soldados. El primero en llegar hasta la caseta de las herramientas fue Phoenix. Y, si no me equivoco, Nestor iba con él.

—No te equivocas.

—Vulcano le cubría las espaldas, por la izquierda. Yo por la derecha. Y... —Leonard se interrumpió, como para intentar recordar lo que había sucedido aquel día tan lejano. Después continuó—: Peter estaba más pálido que nunca.

—¿Qué pasó? —lo apremió Rick.

—La casa parecía vacía —intervino Nestor—. Pero al otro lado se oía un extraño jadeo de animales. Teníamos un miedo espantoso… —admitió el jardinero—. Al final, Phoenix y yo nos miramos, apretamos en la mano nuestras albóndigas de carne picante y… cargamos contra el enemigo.

Leonard rompió a reír con una carcajada tan fuerte que Fred pegó de nuevo un respingo en el sofá.

Rick lo miró primero a él y después a Nestor.

—¿Y…?

—Detrás de la caseta de las herramientas había una niña —prosiguió Nestor, con los ojos embelesados por aquel recuerdo—. Una niña pequeña, con el pelo muy rubio, casi platino. Estaba sentada con las piernas cruzadas en la hierba y sostenía en la mano el extremo de una correa. Dos caniches se perseguían uno a otro en círculo a su alrededor para saltar por encima de la correa como si se tratara de una comba. —Nestor hizo una pausa—. Y cuando nos vieron salir de la nada con un aspecto tan amenazador, los dos caniches se lanzaron entre los pliegues de la falda de la niña aterrados. Solo entonces, cuando se sintieron lo suficientemente seguros, se pusieron a ladrar.

—¡Dos caniches! —recordó Leonard—. Fedro y Fedra.

—¿Y la niña quién era? —preguntó Rick.

—Era la hija del guarda del parque —respondió Leonard, con una voz insólitamente dulce—. Calypso.

Turtle Park Kilmore Cove

Capítulo (13)
- Bajo el parque -

Ya en la casa del jardinero de Villa Argo, Rick preguntó:

—¿Quieres decir Calypso, la bibliotecaria?

—La misma. Con sus caniches —respondió Leonard, colocándose el parche en el ojo—. Se hizo amiga de todos en pocos minutos, salvo de Peter, al que los dos perritos no dejaban de ladrar. Calypso nos enseñó el interior de la cabaña con las herramientas del padre y, cuando le preguntamos sobre la gruta, nos llevó delante de la entrada principal, que estaba tapiada. Solo algunas gaviotas conseguían volar entre las brechas del muro para hacer sus nidos. La otra entrada era un pozo situado a poca distancia de la caseta. Nos costó todo ese día y el siguiente correr la piedra que cubría la boca del pozo y abrir un hueco lo suficientemente grande como para poder entrar. Phoenix llevaba una cuerda que había robado en el puerto y echamos a suertes quién tendría el honor de bajar el primero.

—Black Vulcano —adivinó Rick.

—Exacto. Vulcano se ató la cuerda a la cintura y nosotros desde arriba lo bajamos hasta la gruta. Cuando salió, estaba completamente negro: una mezcla de barro, guano y hollín, que todos nosotros encontramos absolutamente irresistible. Y así fuimos bajando a turnos hasta el fondo para ensuciarnos como él.

—¿Estamos hablando de la gruta desde la que se llega a la estación del tren? —quiso saber Rick.

—Exactamente.

—¿Esa que por el otro lado llega al panteón y… a la gruta de Villa Argo? —insistió el muchacho.

Nestor se levantó de la silla. Fue al baúl, lo abrió y rebuscó entre unos viejos folios. Luego volvió a la mesa con un enorme mapa enrollado, que extendió ante los ojos estupefactos de Rick.

Era un plano de las colinas y la bahía en el que podían verse las distintas grutas del pueblo trazadas con la mano firme de Penelope.

—En realidad —empezó a contar Nestor—, lo que descubrimos aquel verano, y cuando nos volvimos a reunir muchos años después, fue que toda Kilmore Cove estaba atravesada por una serie de túneles que conectaban entre sí varias cavernas naturales. La que está aquí, bajo el acantilado, alberga la *Metis*, y está unida al panteón por el puente con los once animales —explicó el jardinero, señalando un punto en el plano—. Este pasadizo conduce a la rampa. Este otro a una hendidura en apariencia sin fondo que Black y Leonard intentaron explorar sin éxito.

—Bajamos más de doscientos metros… —confirmó Leonard— antes de rendirnos.

Nestor puso el dedo en otra gruta.

—Pasado el panteón, se llega a la más grande. Esta. Subiendo se sale a la superficie en Turtle Park. Fue la primera que descubrimos aquel año. Después está el túnel que pasa por debajo de Shamrock Hills y una cavidad bastante grande en el corazón del pueblo, más o menos bajo *La isla de*

Calypso. Tiene varios brazos que la conectan con el sótano de la casa de miss Biggles, la escuela y la pastelería Chubber. En todos estos lugares hay una Puerta del Tiempo. Aquí, donde está dibujada esta playa, se forma un lago de agua salada cada vez que sube la marea. En este lado, por último, Black colocó las vías del tren, que llegan a la última cavidad subterránea situada después del faro de Leonard.

–Bajo el mar –murmuró Rick, con temor.

–Pero ese verano ninguno de nosotros podía imaginar ni siquiera remotamente todo esto… –continuó Leonard–. Éramos solo un grupo de chiquillos entusiasmados con nuestra gruta. Y cuando la gruta se convirtió en un inmenso mundo subterráneo y descubrimos el ascensor chirriante de William Moore o la cancela cerrada del panteón, nos pareció entrar en un mundo paralelo, construido y después olvidado. Tardamos una semana entera en explorar la gruta de Turtle Park. Después el padre de Calypso nos descubrió y nos nos dejó continuar. Pero nosotros no nos rendimos y, en secreto, penetramos en el panteón. Fue mérito de Phoenix: cogió prestada una copia de las llaves de la cancela que había en la iglesia. Tú has visto el panteón…

Rick asintió.

–Entonces sabes también qué forma tiene: una parte de las sepulturas se encuentra en la zona occidental, mientras que los antepasados más antiguos de la familia Moore están enterrados en la oriental, hacia Villa Argo.

Nestor le enseñó de nuevo el plano.

–Desde el panteón se puede llegar hasta la gruta de la *Metis* a través del puente. Pero cuando lo intentamos nosotros, la cancela estaba cerrada y sobre el puente arreciaba una especie de tormenta huracanada que hacía aullar hasta las piedras. Conseguimos ver las estatuas de los animales y la curva del puente… Nada más.

–La Puerta del Tiempo estaba cerrada… –intuyó Rick.

–Exacto, pero ninguno de nosotros sabía todavía nada de la existencia de las puertas –añadió Leonard–. Aunque no tardamos mucho en descubrirlas. Gracias a una caja de madera, si no recuerdo mal.

Nestor asintió.

–Estaba en el panteón, colocada en el suelo bajo la tumba de Raymond y Fiona.

–¿De qué caja estáis hablando?

El jardinero se levantó por segunda vez para ir hasta el baúl y volvió con una caja. La mitad inferior estaba devorada por el salitre y el agua. La mitad superior, sin embargo, se conservaba todavía bastante bien. En la madera se apreciaban labradas unas figuras femeninas. El cierre era un medallón dorado en el que estaban grabadas las iniciales «R» y «M».

–Raymond Moore –murmuró Rick.

Abrió la caja: estaba vacía. Tenía un forro rojo que subdividía el interior en siete espacios iguales, numerados por otras tantas placas de marfil. El agua había ajado y roto par-

te de la tela, dejando al descubierto la madera que quedaba por debajo. La placa número cinco no estaba.

—No entiendo… —dijo Rick.

—Esta caja la encontró un pescador en la playa. La habían traído las olas. Alguien la había arrojado al mar…

—¿Mi padre? —aventuró Rick.

—¡Oh, no! —respondió Leonard—. Nosotros la encontramos en 1958. Tu padre no tenía nada que ver con la caja. No todavía, por lo menos.

Aquella simple mención bastó para alertar a Rick.

—El pescador que la encontró vio las iniciales de la familia Moore. Y, como Villa Argo estaba cerrada, dejó la caja en el panteón, donde cayó en el olvido.

—Y la encontramos nosotros —concluyó Nestor.

—¿Qué había dentro?

Los dos hombres se miraron, sintiendo la fuerza de un antiguo juramento. Luego Leonard respondió:

—Siete llaves: caballo, león, mamut, gato, mona, ballena y dragón. En cuclillas sobre la hierba de Turtle Park, nos las fuimos pasando de mano en mano, mirándolas y acariciándolas con un temor reverencial. «Este es el tesoro que os decía», dijo Clitennestra, rozando suavemente las llaves.

—¿Y qué hicisteis con ellas?

—Lo más lógico en un grupo de chicos —respondió Leonard—. Nos las repartimos jurando eterna fidelidad a nuestra aventura y a la manera en la que las habíamos conseguido. Yo elegí la del mamut.

—Black, el caballo… —dijo Nestor.

—Clitennestra, el gato, que después pasó a Oblivia.

—Peter Dedalus, el león —intuyó Rick.

—El padre Phoenix, la mona. Calypso, la ballena.

—¿Y tú? —le preguntó Rick a Nestor.

—El dragón.

Siguió un largo momento de silencio, al final del cual Rick preguntó:

—¿Y las otras llaves? ¿Las cuatro llaves de Villa Argo? ¿Aligátor, bisbita, rana y erizo?

—No estaban en la caja.

—¿Y dónde estaban entonces?

—Esperaban —respondió Nestor.

—¿A qué?

—A que Villa Argo tuviera un nuevo dueño.

—Las cuatro llaves llegaron doce años después —prosiguió el jardinero, tras una larga reflexión—. Cuando el abuelo murió y me mudé aquí con mi padre. Llegaron en un bonito paquete dirigido al «Estimadísimo propietario de Villa Argo», que mi padre me dejó abrir a mí.

Rick intentó memorizar aquella parte de la historia. Después empezó a mover la cabeza.

—Es lo que nos pasó a nosotros.

—Exactamente —confirmó Nestor con una amarga sonrisa.

Rick cogió el reloj de la mesa.

—¿Y qué tiene que ver mi padre con todo esto?

—La caja con las siete llaves la encontraron en la playa —comenzó Leonard— porque alguien la había arrojado al mar. O porque alguien la había escondido en el mar…

—¿Raymond Moore? —aventuró Rick.

—Por alguna razón que se nos escapa, el hombre que había descubierto las puertas y las llaves, había decidido también impedir que los otros las utilizaran.

—Lo mismo que habéis hecho vosotros —observó Rick—. Con el tren, los carteles de la carretera, la carretera en mal estado, las guías turísticas…

—Exactamente.

—Qué estúpidos… —admitió Leonard, moviendo la cabeza.

—¿Por qué? —preguntó Rick.

—Porque no era lo que había que hacer —contestó el guardián del faro.

Nestor le agarró de la muñeca.

—No tengo intención de volver a empezar con la discusión de lo que había y lo que no había que haber hecho.

—Ah ¿no? —saltó Leonard—. Entonces, ¿quieres que te felicite por habernos tenido buscando mapas, planos, citas y poemas que hablan de Kilmore Cove hasta caer reventados? Y no solo en nuestros días, sino también en todos los lugares unidos entre sí por las Puertas del Tiempo…

—¿Como por ejemplo la biblioteca de la Tierra de Punt? —se entremetió Rick, acordándose de repente de que alguien había tachado todas las notas que se referían a Ulysses Moore y a los planos de Kilmore Cove para que resultaran ilegibles.

–¡Sí, también allí, claro! –admitió Leonard, furioso.

–¡Leonard, ya vale! Nosotros trabajamos, mientras que tú…

–¿Yo qué? –saltó Minaxo, inclinándose hacia delante sobre la mesa, hacia Nestor.

El jardinero no retrocedió ni un milímetro. Al contrario: fue como si embistiera contra Leonard con la cabeza gacha de tal manera que sus frentes toparon una con la otra en medio de la mesa. Nestor tenía las venas de las sienes hinchadas por la tensión.

–¡Tú has dejado… tercamente… que la gente muriera por culpa de las Puertas del Tiempo! En cambio, yo…

En ese preciso momento, alguien llamó a la puerta.

Rick, Nestor y Leonard pegaron los tres un respingo al mismo tiempo. Los dos contendientes se separaron, sorprendidos, mientras el chico pelirrojo miraba a su alrededor como si volviera por primera vez al mundo real. Lanzó una ojeada al reloj y exclamó:

–¡Oh, porras! ¡Mi madre me estará buscando!

Nestor empezó a enrollar lentamente el plano y el cuadro que estaban encima de la mesa, con la intención de guardarlos de nuevo en el baúl. Leonard se levantó para ir a abrir, tal y como había hecho unas horas antes, cuando los que habían llamado habían sido Rick y, poco después, Fred Duermevela.

–No sabía que dabas una fiesta, Nestor… –farfulló sarcásticamente, acercándose a la puerta.

La abrió de par en par.

E inmediatamente después abrió de par en par también la boca.

—¡Que me trague una ballena…! —bramó Leonard, sacudiendo la cabeza con vehemencia.

—¿Quién es, Leonard? —preguntó Nestor desde dentro.

—¡… si este viejo barbudo que está delante de mí no es Black Vulcano! —dijo casi gritando el farero.

Al oír ese nombre, Fred Duermevela abrió un ojo, indeciso sobre si abrir o no el otro.

—Hola, Leonard —exclamó Black Vulcano, abrazándolo—. Veo que habéis hecho las paces, ¿eh?

Entró en la casa en compañía de una mujer china que llevaba un vestido de seda azul oscuro.

—Pero ¿se puede saber qué está pasando aquí? ¿Quiénes son esos desconocidos que viven en Villa Argo? ¿Y tú por qué estás aquí? Ah, perdón: ella es Zan-Zan, mi asistenta. Es que he leído el mensaje de Peter y…

Solo entonces el vulcánico empleado de ferrocarriles de Kilmore Cove pareció darse cuenta de la presencia de Rick. Se detuvo de golpe con las manos en jarras y le interpeló:

—¿Y tú quién eres?

Capítulo (14)
— El foso de las carpas —

En la penumbra gris de la mazmorra, Julia tenía más frío del que había tenido en toda su vida. Todo cuanto había a su alrededor le producía sensaciones desagradables: la piedra húmeda y resbaladiza del suelo, la madera llena de astillas de la puerta, el musgo peloso que tapizaba el único ventanuco de la prisión, el húmedo gotear del agua en la pared del fondo… Sentía olores fuertes, a cerrado y rancio, olores nauseabundos, como el que salía de la letrina excavada en el rincón del fondo de la mazmorra. Y una sucesión de ruidos igualmente desagradables: el viejo ladrón que caminaba arrastrando los pies, Oblivia que reía histérica en la oscuridad y Manfred que, de vez en cuando, lanzaba inútiles puñetazos contra la pared.

Julia intentaba no responder a ninguno de aquellos estímulos para no dejarse llevar por un miedo atroz e irracional. O, peor aún, desesperado y totalmente racional. ¿Qué posibilidades tenía de salir de allí?

Una sola, se repetía constantemente. Una sola posibilidad. Y era Jason.

—¿Quién es él? —le preguntó entonces Oblivia a Julia, señalando a Rigoberto, que se arrastraba por la celda como un reptil.

La muchacha sorbió con la nariz. Por primera vez desde que la conocía, el tono de voz de Oblivia no era despectivo. Era sosegado y monocorde. Rendido.

Julia sopesó un rato si responder o no. Si no lo hacía, probablemente ella la ignoraría y se pondría a hablar con Manfred. Pero visto que estaban todos encerrados en la misma celda y compartían la misma suerte, a lo mejor merecía la pena acercarse un poco, aunque solo fuera hablando.

–No lo sé –respondió.

La yacija de madera en la que Oblivia estaba tumbada crujió.

–¿Y cómo es que habéis llegado los dos juntos?

–Me iba siguiendo –respondió Julia–. Y cuando los soldados me han arrestado, lo han encontrado también a él.

–¡Soldados! ¡Puaj! ¡Son como los policías! –En la oscuridad resonó el ruido seco de un puñetazo contra la pared, seguido después de un gemido ahogado.

–No sirve de nada que te rompas los dedos, pedazo de animal –comentó Oblivia, bajando de la cama.

El comentario impresionó a Julia, que esbozó una sonrisa. Oblivia atravesó la mazmorra y fue a detenerse bajo el haz de luz de luna que penetraba por la ventanilla musgosa. Estaba irreconocible: desgreñada y con la mayor parte de las uñas rotas. La luz argéntea delineaba un cuerpo delgadísimo y moldeado por numerosas horas de gimnasio, arrebujado en el mismo sayón de yute que le habían dado a Julia. Largas sombras le surcaban los pómulos y ocultaban sus ojos, generalmente luminosos.

–Me lo han quitado todo –dijo, no se sabía bien si dirigiéndose a sí misma o a la luna o quizá a Julia.

La muchacha, fascinada y atemorizada por aquella figura tan frágil y enérgica al mismo tiempo, se hizo un ovillo contra la pared, intentando taparse los talones con el sayón.

—Me han quitado las llaves... —prosiguió Oblivia— y las han arrojado dentro de un baúl. Después de todo el trabajo que me ha costado encontrarlas...

Al oírla hablar de sus llaves, Julia sintió una punzada en el corazón. Y solo entonces se dio cuenta de que, por primera vez, también ellos habían perdido las llaves de la Puerta del Tiempo.

—No eran tus llaves —dijo.

—¿Ah no? —saltó Oblivia. Pero en su voz no había aún sombra de desafío—. ¿Eran tuyas entonces? ¿Llevaban puesto tu nombre?

—Las encontramos nosotros. Jason, Rick y yo —respondió Julia—. En correos.

—Claro: fuisteis a la ventanilla y pedisteis cuatro llaves para abrir la Puerta del Tiempo.

—Más o menos. Teníamos un resguardo para recoger un paquete dirigido al «propietario de Villa Argo».

—Entonces a tu padre, en todo caso. O a quién diablos le haya vendido Homer la casa.

—¿Homer? —preguntó Julia.

—El arquitecto de Londres. Homer & Homer. Es él quien se ha ocupado de los trámites de la herencia, junto al jardinero —dijo Oblivia—. Es él quien ha rechazado todas mis libras esterlinas para... ¡elegiros a vosotros!

—¡Puaj! ¡Policías! —exclamó Manfred, dando otro puñetazo contra la pared.

Mientras tanto, en la oscuridad de la celda se oyó otro ruido: era Rigoberto, que estaba atareado trajinando en el rincón en el que se encontraba la letrina.

—Me he equivocado. No tendría que haber venido aquí —continuó Oblivia en un raro acceso de modestia—. Tenía que haberme contentado con las llaves que tenía y haber trabajado con más calma para encontrar las otras. Tenía que haberle preguntado a la única persona dispuesta a hablar conmigo. Como en los últimos años.

—¿Te refieres a Peter?

—¿Y a quién si no? ¿Es que tú has conseguido hablar alguna vez con Ulysses Moore? ¿O con alguno de sus amigos?

—Pues la verdad, no —admitió Julia.

—¿Y te has preguntado alguna vez por qué? Te lo digo yo: porque son unos paranoicos que han decidido quedarse con el pueblo para ellos solos. ¿Por qué la tienen tomada conmigo? ¿Tú lo entiendes? ¿Porque soy rica? ¿Porque soy guapa y emprendedora? —Oblivia buscó a Julia con la mirada. Tenía los ojos fuera de las órbitas y se golpeaba la sien con el índice que tenía la uña rota—. ¿Porque tengo una mentalidad empresarial? ¡Sí! Lo admito: para mí las Puertas del Tiempo son también un gran negocio. Hoy día se venden vacaciones de todo tipo: desde las ciudades de arte hasta las islas desiertas. ¿Por qué no ir una semana al Antiguo Egipto? Cumpliendo todas las reglas que quieras. ¡Sin tije-

ras para las uñas ni frascos de perfume o cámaras fotográficas con flash que puedan molestar a los habitantes del lugar! ¿Qué es lo que tiene de horrible el querer transformar un decrépito pueblecito de pescadores en una rica y moderna localidad turística?

Julia no sabía exactamente qué contestar.

Oblivia se alejó pero solo para volver de nuevo a la carga:

—¿O quizá, querida, es que Ulysses Moore y sus amigos la tienen tomada conmigo porque soy mujer? ¿Has pensado en ello alguna vez? Una mujer inteligente y hermosa. —Oblivia dio unas palmadas—. ¡Despierta! ¡Estamos ya en el siglo XXI!

Del rincón en el que se había escondido Rigoberto, llegó un ruido de frotamiento de piedras y un largo lamento de cansancio:

—Mmmmmm.

Manfred se acercó a él con un gruñido:

—¿Se puede saber qué estás haciendo?

Julia miraba a Oblivia caminar como un péndulo enloquecido en mitad de la celda. Le podía reconocer cierta parte de razón: ni Leonard, ni Peter, ni mucho menos Nestor le parecían hombres modernos y progresistas, pero si el modelo contrario estaba encarnado por una persona tan histérica como Oblivia, la duda sobre quién tenía la culpa persistía.

—Ulysses Moore… ¡me ha vuelto completamente loca! ¡Y la historia esa de la Primera Llave! ¡La Primera Llave! —Oblivia aferró los barrotes de la ventana y miró fuera, desesperada–. ¿Qué me importa ahora a mí la Primera Llave y el Black Vulcano ese?

–Se ha ido –dijo Julia, llamando por un momento su atención–. Hemos estado en su laboratorio, pero no había ni rastro de él ni de la Primera Llave.

–¡Muy bien! –prorrumpió Oblivia–. ¡Renunciaría a todo, a todo, con tal de salir de este sitio asqueroso! ¿Me oís? –gritó–. ¡Quedaos con las llaves y dejadme volver a casa!

–Oh, no… Qué asco… –masculló entonces Manfred en el rincón opuesto de la mazmorra.

En cuanto el grito de Oblivia se hubo apagado, la pérfida empresaria añadió desconsolada:

–Pero ¿para qué grito, amiga mía? ¡Nadie nos traerá las llaves para abrir esta puerta! ¡Nadie!

Una vez más, Julia admitió muy a su pesar que Oblivia tenía razón. Por mucho que se aferrase con terquedad a esa idea, en realidad había muy pocas esperanzas de que Jason pudiera sacarlos de aquel lío. Y se sorprendió pensando en ella y en Oblivia como si aquella prisión forzada las hubiera obligado, de alguna manera, a formar parte del mismo equipo.

–Nos queda todavía mi hermano, que está ahí fuera… –le confió en un arrebato de generosidad–. A él no lo han capturado.

–¿Un chiquillo? –preguntó Oblivia, soltando las rejas–. Y según tú, ¿qué puede hacer?

–No lo sé. Algo, espero.

–Tú eres la prueba palpable de que los jóvenes no podéis hacer nada si se meten en medio los que son mayores que vosotros.

De nuevo, el lamento de Rigoberto y el retumbar tétrico de una piedra llenaron de ecos la mazmorra.

–¡Puaj! –gritó Manfred, tambaleándose hacia atrás envuelto en un tufo nauseabundo–. ¡Vuelve a poner esa cosa en su sitio!

Un fétido olor de sustancias putrefactas se esparció por toda la celda, agrediendo la nariz de Julia y Oblivia.

–¡Oh, no! –gimió la mujer–. Pero ¿qué es esto?

Julia cerró los ojos y se tapó la nariz con el sayón de yute, esperando que aquella nube hedionda se fuera por donde había venido.

Manfred empezó a toser y también Oblivia, desconcertada y horrorizada. Solo después de unos largos minutos la situación empezó a mejorar.

–¿Rigoberto? –preguntó Julia.

–Estoy aquí –respondió el ladrón, desde el extremo opuesto de la celda.

–¿Qué has hecho?

–He encontrado una salida –respondió él tranquilo.

Estaban los tres de pie alrededor de un agujero negro que se abría en el suelo, una abertura oscura de la que provenían oleadas del mismo olor nauseabundo. Era lo suficientemente ancha como para dejar pasar los hombros de una persona y parecía no tener fondo.

—Estás bromeando, ¿verdad? —balbuceó Oblivia, tapándose la nariz con las manos.

El ladrón de las galerías subterráneas, en cuclillas delante de la piedra agujereada que servía de tapadera a la letrina, negó con la cabeza y les aconsejó que escucharan.

—Vuelve a cerrar esa cosa —le ordenó Manfred.

—No —dijo Julia—. Rigoberto tiene razón. ¡Escuchad!

—Vuelve a cerrar esa cosa o…

—¿Te quieres callar, pedazo de inútil? —intervino Oblivia.

Manfred se contrajo como un erizo y apretó con rabia los puños. Miró a su jefa con odio y pensó: «Tú me has traído aquí. Por tu culpa me han metido en la cárcel. Por tu culpa se me ha roto mi último par de gafas de sol. Tú me estás obligando a mirar dentro de una letrina como si se tratara de una camilla de rayos UVA». Después echó la cuenta. El resultado fue negativo. Totalmente negativo. Así que le dio la espalda y se desinteresó del asunto.

—¿Es agua? —aventuró Julia.

—Yo también la oigo —murmuró Oblivia, poniéndose en cuclillas al lado de Rigoberto.

—Agua, sí —respondió el viejo ladrón—. Todos los desagües de las mazmorras desembocan en un sumidero más grande, que es el que suministra agua también al foso de las carpas.

—¡El de los peces! —recordó Julia—. Y si los peces viven en él… quiere decir que no son aguas residuales.

—Exacto —prosiguió Rigoberto. Su piel amarillenta y viscosa irradiaba reflejos de salamandra.

—Os recuerdo que vosotros no sois peces —observó Oblivia— y no respiráis en el agua.

—En el sumidero grande hay aire —dijo Rigoberto—. No mucho: así. —Abrió las manos unos veinte centímetros.

Julia se sentó en el suelo.

—¿Has estado ya allí?

—Una vez —confesó el ladrón.

—¿Y cómo es?

—Una peste enorme hasta la cascada. Tienes que nadar y contener la respiración. Después se baja y es mejor. Se llega a un lago. Desde allí se puede salir. La parte difícil es esta… —Les indicó la estrecha abertura del desagüe—. Tienes que empujarte con los hombros hasta abajo.

—¿Qué profundidad tiene? —preguntó Julia, y tragó saliva.

—Tres veces mi altura.

—Ni lo sueñes —dijo Oblivia horrorizada, mirando el orificio—. Yo por ahí no paso.

Rigoberto la examinó con ojo crítico. Después hizo lo mismo con los otros.

—Él no cabe —concluyó, mirando a Manfred.

—Lárgate —le respondió él por encima del hombro.

—Tú, sí —le dijo a Julia—. Y tú también con un poco de esfuerzo —añadió dirigiéndose a Oblivia.

—Yo no quiero saber nada —decidió la mujer—. No tengo ningunas ganas de morir ahogada en el… en el líquido fétido de una alcantarilla subterránea. —Un largo escalofrío le recorrió la espalda—. La sola idea me horroriza.

También a Julia la sola idea de entrar en ese agujero le ponía la piel de gallina.

Rigoberto se encogió de hombros.

—Esta es la salida. Y yo salgo. Si queréis venir conmigo, os espero.

Julia se mordió los labios. Miró a su alrededor. Después observó el pozo negro.

—¿Tú sabes dónde está el Claustro del Tiempo Perdido? —le preguntó a Rigoberto, volviendo a pensar en el acuerdo al que había llegado con Jason antes de esconderse entre los mecanismos del telar.

—Sí —respondió el ladrón.

—Si voy contigo, ¿me puedes llevar hasta allí?

—¡Eh! ¡Eh! ¡Calma! —terció Oblivia—. ¿Qué tiene que ver eso? —Cogió a Rigoberto por los estrechos hombros—. ¿No podrías simplemente salir de aquí y después… venir a abrirnos?

—No —respondió el ladrón—. Es demasiado peligroso. Nadie quiere volver a entrar en la cárcel si logra salir de ella.

—¡Pero yo te puedo pagar! ¡Te puedo cubrir de libras esterlinas!

—No sé qué son las libras esterlinas.

—¡Dinero, plata, oro! —chilló Oblivia—. Puedo darte todo lo que quieras.

—Libérate tú sola, entonces —le respondió Rigoberto, soltándose—. Yo me largo.

Metió el pie en el pozo. Oblivia se dirigió a Julia.

—¿Y tú, jovencita? ¿Volverás a liberarme?

Manfred tosió para recordar su presencia.

Julia no sabía qué contestar. A diferencia de su hermano, no se le daba bien decir mentiras, pero últimamente había tenido que perfeccionar esa faceta de su carácter. Así que esbozó una sonrisa y dijo:

—Si quieres que te diga la verdad, ni siquiera sé si me voy a ir con él… Y además, no estoy segura de conseguirlo.

—¡Pues claro que lo conseguirás! —la animó Oblivia, cogiéndola por sorpresa—. Tú… tú eres una jovencita muy valiente. ¡Muy valiente! Tú… tú… ¿te acuerdas de cómo lograste que Manfred quedara como un estúpido?

Al pensar en el salto del acantilado que casi le cuesta la vida, el esbirro de Oblivia se dio la vuelta furibundo:

—¡Eh! ¡Cuidadito con lo que dices! ¡Estaba lloviendo!

—Seguro que lo conseguirás… —continuó Oblivia—. Porque puedes hacerlo. Y no nos dejarás pudrirnos aquí dentro. Porque eres buena. ¿A que sí?

La mujer intentaba ser convincente, pero parecía uno de esos personajes de la televisión que venden aparatos de gimnasia para casa.

—Y además, no podemos dejar aquí todas nuestras llaves. Ejem, vuestras llaves. ¿Eh? ¿A que sí? Podemos repartirlas. Yo me quedo con la del gato y la del león y tú con las de Villa Argo. Así puedes jugar con tu hermano siempre que quieras. Y a lo mejor, de vez en cuando, dejar que juegue también tía Oblivia, ¿no? A lo mejor tu madre y yo podríamos hacernos compañía. ¿Por qué no? «Nunca digas nunca jamás», como decía aquella película. Al fin y al cabo, ahora estamos todos en el mismo barco… ¿no crees? —preguntó Oblivia, tirándose después teatralmente al suelo.

—Yo me largo —dijo Rigoberto, y desapareció por el pozo.

Las piernas, el tronco, los hombros y, por último, la cabeza entraron en el agujero y se colaron hacia abajo.

Julia lo alcanzó de un salto. Desde arriba vio la cara del ladrón que la estaba mirando: parecía que se había quedado encajonado pero con los hombros se iba empujando hacia abajo.

—¡Espera! —le gritó.

—No vuelvo… atrás… —balbuceó él, mientras se sumía poco a poco en la oscuridad.

—¡Espérame abajo! —decidió Julia—. ¡Voy contigo!

La respuesta de Rigoberto fue un débil quejido.

—Te esperamos. Que no se te olvide… —le recordó una vez más Oblivia, mientras Julia metía los pies en el pozo.

—Vale.

Era resbaladizo y apestaba. Estaba recubierto por una pátina de musgo y moho sobre cuya composición era mejor no hacerse demasiadas preguntas. Se deslizó dentro, manteniéndose en equilibrio con los pies descalzos: era como tocar un montón de lenguas, hongos viscosos y blandos cuerpos de insectos.

Julia se tragó sus fantasías y pensó: «Es solo un pozo».

Entró en él con los brazos pegados al cuerpo y se agarró con las manos. Notaba cómo el agujero se la iba tragando poco a poco.

—Lo conseguiré —dijo en voz alta.

La celda desapareció de su vista y se encontró con la cara a pocos centímetros de las paredes del pozo. Levantó la vista hacia lo alto, como había visto hacer a Rigoberto, mientras su estómago barboteaba de asco.

—Tengo que conseguirlo… Tengo que conseguirlo… —repitió.

Bajó, bajó, bajó.

—¡Claro que lo conseguirás! —exclamó Oblivia desde arriba, como un fantasma en la boca del pozo. A Julia le pareció que aquella cara allí en lo alto le quitaba aún más aire—. ¡Vuelve a por nosotros, por favor! ¡Te daré todas las llaves! ¡Todas!

La voz quedó oculta por un estruendo de aguas torrenciales cada vez más fuerte. Julia bajó un poco más, ahogada por la náusea. Después, de repente, sus pies dejaron de tocar las paredes del pozo. Cayó con un remolino en una poza de agua oscura que corría ferozmente hacia abajo.

Se quedó sin respiración, pero reaccionó rápido: con un impulso y un par de brazadas salió a la superficie.

Abrió los ojos en la oscuridad y se dio cuenta de que podía respirar. Levantó las manos y palpó el techo del conducto. Había un espacio pequeño para la boca y la nariz. El corazón le latía a mil por hora, más fuerte que el estruendo del agua.

—¡Rigoberto! —gritó.

Algo viscoso, un tentáculo quizá, la agarró de una mano, arrastrándola contracorriente.

—¡Socorro!

Después se encontró frente a frente con los ojos de rana de Rigoberto e intentó calmarse.

—¿Has oído? —dijo Oblivia, metiendo la cabeza dentro del pozo.

—No —le respondió Manfred.

—Pero ¿por qué te pregunto? —dijo ella—. No te darías cuenta ni siquiera… —No se le ocurrió ninguna comparación lo bastante despectiva, así que dijo—: Nuestra jovencita ha llegado abajo. —Y se dio la vuelta, histérica—: ¡Lo ha conseguido! ¡Se puede salir! ¡Es verdad que se puede salir! ¡Y ahora están escapando! ¡Escapando de esta asquerosa prisión!

—Genial —comentó Manfred, sardónico.

—¡Claro! ¡Mira quién fue a hablar! ¡El superhombre! ¿Por qué no haces nada, Manfred?

Él hizo brillar a la luz de la luna su cicatriz.

—Es por los hombros, Oblivia. Yo no quepo en ese apestoso agujero.

Oblivia saltó:

—¡Qué gracioso! El señor hablando de agujeros ¿Es que no te acuerdas del otro apestoso agujero del que te saqué?

—El mío era un trabajo como cualquier otro —respondió él, cruzándose de brazos.

—Ah, sí, claro: un gánster consumado que redondeaba el sueldo recogiendo las monedas que se habían caído por las alcantarillas.

—No tienes ni idea de lo que se puede ganar en un solo día de trabajo.

—¡Eres un inútil! ¡Un completo inútil! —le recriminó Oblivia—. Maldito sea el día que te elegí de la lista de aquella agencia de colocación de delincuentes… —La mujer se asomó de nuevo a mirar dentro del pozo—. Me dejé engatusar por tu nombre altisonante. ¡Y me he encontrado con un granuja que solo ha sido capaz de destruir todo mi parque automovilístico!

—Te he dicho ya que el coche…

—¿Y la moto? ¿Y el dune buggy? —añadió Oblivia—. ¡No eres más que un granuja, Manfred! ¡Un granuja! Y por eso seguimos encerrados aquí dentro. Mientras los otros han conseguido escapar.

—Piensa en positivo: podremos comer el doble.

—¿Y quién te dice que nos traerán comida? Y, además, ¿desde cuándo te diriges a mí con ese tono? ¿Eh? ¡Jovencitaaa! —gritó justo después, con la cabeza dentro del pozo—. ¡No te olvides de míí!

Al enésimo chillido, algo ofuscó la mente no siempre lúcida de Manfred. Fue como si, después de innumerables intentos, se hubiera producido un cortocircuito.

—Ya basta —decidió, observando a su delgadísima jefa agachada de rodillas delante del desagüe.

Se le acercó con paso decidido.

—Acuérrrdate, jovenciiit… —acababa de empezar a gritar de nuevo Oblivia, cuando dos rudas manos masculinas la aferraron por los tobillos.

Un instante después, notó que sus piernas se alzaban y se encontró cabeza abajo en el desagüe, las manos atrapadas a los lados del cuerpo.

—¡Manfred! —aulló horrorizada—. ¡Suéltame enseguida!

—Con mucho gusto —le respondió él con una sonrisa burlona—. ¡Prepárate para la zambullida, gimnasta de pacotilla! —Y la lanzó cabeza abajo por el desagüe.

Oblivia se quedó encajonada y Manfred le propinó una buena patada en el culo.

La mujer salió disparada como una bala y cayó en el agua putrefacta del conducto subterráneo, donde empezó a mover los brazos y las piernas, colérica y aterrorizada, intentando respirar.

Salió a la superficie con dificultad.

—MAAAAAANFREEEEEED… —gritó con todo el aliento que le quedaba en la garganta.

Pero su voz se fue perdiendo poco a poco en los meandros subterráneos hasta convertirse en un eco lejano. Y al final desapareció del todo.

—Por fin un poco de silencio —sonrió Manfred, acomodándose en el camastro de la mazmorra.

Capítulo (15)
- Una historia
inquietante -

En casa de Nestor cundió el nerviosismo. Después de las presentaciones de rigor y la decisión conjunta de que la presencia de Fred Duermevela dormitando no podía considerarse un problema para nadie, Black Vulcano intentó poner orden en la situación:

—Las cosas están así: ayer, en el castillo empezó a funcionar el telar de Peter, para susto de Zan-Zan.

—¡No se había puesto en funcionamiento prácticamente jamás! —exclamó ella, que estaba sentada junto a Rick.

—Lo que salió… —prosiguió Black— fue un mensaje en el que se me comunicaba que dentro de poco iba a recibir una visita poco grata.

Los otros le enseñaron la carta de Peter que les había entregado Fred.

—¡Pero yo no he tenido nunca la Primera Llave! —saltó Black Vulcano.

—Leonard dice que la ha encontrado esta tarde, en un velero hundido mar adentro en Kilmore Cove —intervino Rick.

—*Fiona* —precisó Minaxo, con los ojos relucientes.

—¿*Fiona*? —gritó Black Vulcano—. ¡Así que no nos habíamos equivocado! ¿Lo has encontrado de verdad?

Leonard asintió, ensombreciéndose justo después.

—Pero creo que no he sido el primero en llegar.

—Luego hizo señas a Black para que siguiera adelante con su historia.

—En cuanto recibí el mensaje, me puse en marcha. Cogí las llaves… —El hombre les enseñó a todos un estuche dentro del cual brillaban solo las llaves del caballo, la ballena, el dragón, el mamut y la mona–. Y este, como podéis ver, es el primer misterio… –observó–. Porque cuando me fui me llevé también las cuatro llaves de Villa Argo: aligátor, bisbita, rana y erizo. No he abierto nunca el estuche y estoy prácticamente seguro de que nadie más ha podido abrirlo. Ha estado siempre a buen recaudo… Pero las llaves han desaparecido.

–Para aparecer aquí de nuevo, en Kilmore Cove.

–¿De verdad?

–Ha pasado lo mismo que la otra vez –dijo Leonard.

Nestor apoyó las manos en las rodillas y se puso de pie.

–Sí. Lo mismo que la otra vez. Pero de las llaves podemos ocuparnos más tarde. Todas las que faltan deberían tenerlas ahora Oblivia y los chicos en el… Jardín del Preste Juan, del que acabas de llegar.

–Y ese es el otro problema –continuó Black Vulcano–. El mensaje de Peter hablaba de la llegada de Oblivia a través de la puerta de Villa Argo.

–¿Y tú qué hiciste, exactamente? –le preguntó Leonard, que se había puesto a garabatear algo en un papel.

–Avisé a los soldados de la posible llegada de extraños. Han arrestado no a una, sino a dos personas, y por eso le pedí a Zan-Zan que me acompañara hasta aquí. De este modo pensaba cerrar para siempre la puerta.

–Y sin embargo –intervino Nestor– has reducido a la mitad las posibilidades que Jason y Julia tienen de regresar.

–Cuatro han ido… –murmuró Rick– y dos han vuelto.

–En realidad hay un tercer billete de vuelta… –observó Leonard, revisando sus esquemas–. Black, por la puerta por la que te fuiste de Kilmore Cove puede volver una persona.

–Tres posibilidades de volver y cuatro viajeros.

–Esto significa que uno de ellos… quedará apresado para siempre en el Jardín del Preste Juan –concluyó Rick.

–¿Qué sugerís? –preguntó Black, acariciando nerviosamente la mano de su asistenta.

Leonard habló en nombre de todos:

–Lo primero que hay que hacer es vigilar ambas puertas. Si por casualidad sale Oblivia o el desgraciado de Manfred, ¡tenemos que estar preparados para inmovilizarlos!

–¡Para eso está Zan-Zan! –exclamó Black Vulcano–. ¡Rápido, coge nuestras ampollas de somnífero!

La mujer sacó de su mochila de cuerda cinco frascos de cristal que contenían un líquido verde.

–Zan-Zan es experta en este tipo de pociones de manzanilla… –explicó el antiguo empleado de ferrocarriles, no sin antes entregar una ampolla a cada uno–. Basta con abrirlas, soplar los vapores encima de la cara de la víctima y… ¡ya está! Una para mí, otra para Zan-Zan, una para ti, Leonard… Nestor… y la última para ti, pequeño Banner.

Al pronunciar el apellido de Rick, Black pareció a punto de añadir algo, pero una mirada encendida de Leonard lo detuvo.

—Gracias, señor Vulcano —respondió Rick, un poco avergonzado—. Pero yo… esto… creo que ahora debería irme a
casa… a avisar a mi madre. No me gustaría que se preocu-
para demasiado. —El chico suspiró—. Pero me gustaría conocer también el final de la historia, señor Ulysses.

Néstor hundió la cabeza entre los hombros, mientras
Black exclamaba:

—¿Ulysses? ¡Ah, estamos bien!

—Tenemos que dividirnos —decidió Leonard—. Yo voy a
la puerta del tren, que, si no me equivoco, está aparcado no
demasiado lejos de aquí…

Rick asintió:

—Está todavía bajo el panteón.

—Será mejor que me lleve conmigo a Fred —decidió el farero—. Por lo menos lo quito de en medio. Black, Néstor y
Zan-Zan, vosotros vigilad la puerta de Villa Argo, mientras
que tú, Rick…

En ese momento, el teléfono de baquelita negra de Néstor sonó perentoriamente.

—¿Quién será a estas horas? —se apresuró a responder
Néstor—. ¿Diga? Sí. Soy yo. Ah, hola, Phoenix.

Los demás se miraron sorprendidos.

—No. Rick está aquí conmigo. Está muy bien. Ningún
problema. Oh, vaya… No, no creo… —Néstor tapó el auricular con la mano y preguntó a Rick cuándo había hablado por última vez con su madre.

—He intentado llamarla —se justificó él—, pero no contesta.

—¿Phoenix? —prosiguió Nestor—. No han conseguido hablar. Vale. Vale, me lo cuentas en cuanto nos veamos. Sí, claro. Vamos enseguida. —Colgó rápidamente el teléfono y le explicó a Rick—: El padre Phoenix ha ido a tu casa porque ha visto todas las luces encendidas y la puerta abierta de par en par. Y tu madre no está.

—Oh —exclamó el chico.

Nestor cogió su chaquetón del perchero, abrió un cajón, agarró un llavero y se dispuso a salir.

—Mejor que tú y tu asistenta os quedéis de guardia en la puerta de Villa Argo. Rick y yo bajamos un momento al pueblo a buscar a su madre.

—¿Y cómo vamos al pueblo? —le preguntó Rick, siguiéndolo.

Nestor abrió la puerta de par en par y se dirigió cojeando hacia el viejo garaje de Villa Argo. Levantó la persiana metálica y quitó la lona que cubría el viejo sidecar de Ulysses Moore. Le tiró a Rick un casco negro y le ordenó que se lo pusiera.

—A Penelope le iba bien —dijo—. Te irá bien también a ti.

Capítulo (16)
- Los desconocidos -

Tres figuras recubiertas de un líquido fétido se reunieron en el último de los peldaños excavados en la pared de la cisterna y salieron del agua. La primera caminaba encorvada sobre sí misma y parecía una vieja piel de serpiente. Julia, justo después, ayudó a Oblivia a salir de las aguas putrefactas del lago subterráneo.

Subieron sin decir palabra hasta lo alto de la cisterna, adentrándose después en un angosto túnel que desembocaba al pie de las murallas. Rigoberto les señaló una segunda escalera, que conducía a una reja atravesada por recuadros de luz nocturna. Ver de nuevo el cielo estrellado, aunque fuera desde aquel pequeño agujero, fue para Julia una verdadera liberación.

—No estamos muy lejos del claustro… —dijo Rigoberto, trepando en primer lugar. De su túnica de yute caían algas y mechones de suciedad pestilente.

Una vez fuera, los tres sintieron un escalofrío al notar el fresco abrazo del viento y unas ganas locas de echarse a reír de alegría. Después, al ver la horrenda silueta de la prisión y los numerosos pisos del castillo que quedaban por encima de ellos, se preguntaron cómo podrían recuperar las llaves. Y rescatar a Manfred.

—Yo digo que lo mejor es que nos larguemos de aquí ahora mismo —propuso Oblivia—. Las llaves pueden esperar. ¡Y por mí Manfred se puede pudrir ahí dentro!

—No se trata solo de las llaves. ¡Está también mi cuaderno! —le recordó Julia.

—Pues, de todas formas, yo creo que lo mejor es que nos larguemos de aquí —sugirió Oblivia—. Y que pensemos en todo eso después de lavarnos. Tal y como estamos pueden olernos a kilómetros de distancia.

—Eso es verdad —asintió Julia.

Rigoberto empezó a bordear las murallas.

—Por aquí —dijo.

Mientras caminaban bajo el cielo estrellado, Julia observó a Oblivia Newton. Así, tan malparada, su gran antagonista parecía solo una mujercilla histérica, nada contenta de estar llena de barro de pies a cabeza. Después Julia imaginó que encontraba a su hermano y sonrió feliz: esperaba con todo su corazón que él estuviera en el claustro o que le hubiera dejado un mensaje allí. En cuanto a las llaves y el cuaderno que habían perdido…

—Hay que pensar en una cosa cada vez —se dijo en voz alta.

—¿Qué has dicho, guapa? —le preguntó Oblivia, caminando a saltitos delante de ella.

—¿Puedo hacerte una pregunta? —preguntó, Julia pasando por alto lo de «guapa».

—Por supuesto.

—Hay una cosa que no he logrado entender nunca —empezó la muchacha—. Cuando les robaste a mi hermano y a Rick el mapa de Kilmore Cove…

—¡Ah! —repuso, poniéndose a la defensiva—. Mira, siento mucho lo del mapa. Fue un problema de falta de comuni-

cación… quizá no haya tenido nunca mucho tacto con los jóvenes, pero…

—Lo que no he logrado entender nunca —se apresuró a interrumpirla Julia— es cómo sabías tú que había un mapa de Kilmore Cove justo allí, en el Antiguo Egipto.

Ellos, de hecho, lo habían descubierto con gran esfuerzo gracias a una buena dosis de suerte, a Maruk y a las pistas contenidas en el cuaderno de Ulysses Moore.

—Oh, me lo contó mi madre cuando me dejó la llave.

Julia se sorprendió.

—¿Tu madre?

—Sí —le respondió—. ¿Por qué crees que me fui a vivir a un agujero como Kilmore Cove? Yo que había conseguido levantar sola un imperio de millones de libras esterlinas…

Mientras la seguía por los cantos rodados, Julia perdió por un instante el equilibrio. Había creído siempre que Oblivia había conseguido la llave del gato gracias a la hermana de miss Biggles, que había sido su maestra de escuela, mientras que ahora estaba escuchando una versión de los hechos completamente distinta.

Perdona, pero tu madre, ¿quién era? —le preguntó.

Black Vulcano vio cómo Nestor se marchaba zumbando en su sidecar y, poco después, se despidió de Leonard, que

salió andando en companía de un ensimismado Fred Duer-mevela.

Volvió a entrar en Villa Argo e intentó explicarle a Zan-Zan lo que acababan de ver. No había que olvidar que Zan-Zan era una mujer de origen chino que había vivido hasta hacía pocas horas en plena Edad Media y que se encontraba de golpe inmersa en una realidad hasta cierto punto incomprensible. Por muy inteligente que fuera y mucha capacidad de deducción que tuviera, la mujer se sentía confundida con solo cruzar la cocina llena de extraños objetos que zumbaban, de luces escondidas dentro de los armarios (la nevera), de tubos por los que de repente corría agua caliente (el fregadero) y de extraños botones que producían explosiones luminosas en las habitaciones cercanas (los interruptores de la luz).

Le sorprendían las cosas normales, como los adornos que poblaban los muebles de los salones de Villa Argo o los colchones blandos de las camas. Y también las menos normales, como la Puerta del Tiempo por la que habían entrado en la casa hacía poco rato.

—Yo ahora tengo que hacer una cosa... —le dijo Black Vulcano, subiendo al piso de arriba.

Zan-Zan lo siguió hacia el interior de una habitación reluciente, recubierta de mármol claro.

Black estudió durante unos segundos la bañera. Después se decidió por la ducha y se puso a trajinar con la alcachofa para lograr que brotara un chorro circular de agua caliente.

–¡Ah! –exclamó, poniendo la palma de la mano debajo–. ¡Esto es justo lo que necesitaba! ¡Una buena ducha!

Empezó a quitarse la túnica de monje y le dio una patada a las zapatillas de deporte.

–¿Quieres probar tú antes?

Zan-Zan negó con la cabeza, en absoluto atraída por aquel artilugio humeante. Miraba con el mismo temor su imagen reflejada en dos grandes espejos colgados uno enfrente del otro, que multiplicaban su cuerpo miles de veces.

–No tardo nada –la tranquilizó Black Vulcano, metiéndose bajo la ducha caliente–. ¡Aaah! –gritó de placer–. Tú controla solo que no llegue la tal Oblivia… y si llega ponla a dormir como a los oooooo… tros.

Zan-Zan asintió y salió del baño de Villa Argo caminando hacia atrás.

–¡Una cosa más! –le gritó Black, sacando de la cabina de la ducha un brazo peludo–. ¿Puedes pasarme el champú?

El viejo Rigoberto, Oblivia y Julia subieron a las murallas, llegaron a la terraza en la que ardían aún algunas brasas rojizas, empujaron la puerta y bajaron los peldaños de la gran escalinata que conducía al Claustro del Tiempo Perdido.

–Aquí es donde hemos visto a Black Vulcano con su asistenta –recordó Julia, cuando pasaron junto a los dos

grandes floreros colocados en las hornacinas situadas en mitad de la escalera.

—Claro… —le respondió Oblivia, que parecía en realidad bastante ausente.

Mientras bajaban, Julia contuvo la respiración con la esperanza de ver aparecer a Jason de un momento a otro. Pero cuando llegaron al claustro, su hermano no estaba.

—¿Y ahora? —suspiró, buscando algún mensaje suyo.

Oblivia parecía tener las ideas muy claras. Haciendo caso omiso tanto de la chica como del horrible viejo con cara de batracio, cruzó el claustro y se dirigió con la decisión de una corredora de maratón hacia la Puerta del Tiempo, que se abría completamente anónima en el lado opuesto.

Se detuvo solo un instante para observar la huella de una zapatilla de deporte impresa en la grava del sendero que conducía a la puerta.

—Teoría confirmada —se dijo en voz muy baja—. Black Vulcano ha vuelto a Villa Argo.

—¡Oblivia! —la llamó Julia en ese mismo instante.

La muchacha y Rigoberto fueron hasta ella corriendo.

—¿Qué piensas hacer?

—Me voy —respondió ella.

—¡No puedes! —le ordenó Julia—. ¡No tenemos las llaves! ¡No podremos volver aquí nunca más!

Molesta por el hecho de que una jovencita le diera órdenes, Oblivia agitó nerviosamente las manos y le concedió a Julia la merced de una última explicación:

—Mira, guapa, gracias por tu interés, pero creo que ha llegado el momento de despedirnos. Yo me voy a casa lo más rápidamente posible. Tú puedes quedarte aquí para buscar a tu hermano y recuperar las llaves. Las mías también. Si al final no las encuentras, pregúntale a Ulysses Moore, a Peter, a Black Vulcano o a quien te parezca. Yo no quiero saber nada más de ellas. —No era verdad del todo, porque si Black Vulcano había vuelto a Kilmore Cove y se había llevado consigo la Primera Llave, esta bastaría para abrir todas las puertas. Pero Oblivia pensó que no era cuestión de dar explicaciones sobre todos y cada uno de sus actos. Satisfecha, se apoyó en la puerta y añadió—: Y si quieres, quédate también con Manfred. Te lo regalo con mucho gusto.

—¡Oblivia! —gritó Julia.

Pero la mujer traspasó la Puerta del Tiempo y desapareció.

Fuera del baño de Villa Argo, Zan-Zan oyó un ruido que venía del piso de abajo. Y justo después una voz femenina que llamaba a alguien. Black canturreaba bajo la ducha, ajeno a todo y cubierto de espuma.

Así que la joven asistenta aferró el frasco de somnífero y bajó rápidamente las escaleras. Oyó una vez más la voz femenina y se ocultó en la oscuridad.

La mujer estaba justo fuera del porche acristalado.

Zan-Zan no se planteó más problemas. Fue hasta el ventanal y echó una ojeada fuera.

Ahora la mujer estaba a pocos pasos de distancia y miraba a su alrededor como buscando a alguien.

Zan-Zan entreabrió la puerta acristalada, como invitándola a entrar. Esperó a que la desconocida estuviera al alcance del somnífero y, en cuanto se acercó, le sopló en la cara una nube de vapor verde.

–¿Rick? –consiguió decir Patricia Banner antes de caer dormida al suelo.

Al otro lado de la Puerta del Tiempo, Julia se dio la vuelta hacia Rigoberto y dijo:

–No creía que se atreviera a hacerlo de verdad.

–No me parece que haya hecho nada tan terrible… –comentó el viejecito, acercándose a la puerta.

–¡NO! –gritó Julia–. ¡No la abras!

–¿Y por qué no? –dijo él sorprendido–. ¿Qué es lo que tiene esta puerta de particular?

–No es el momento de dar explicaciones, créeme.

La cabeza de Julia estaba llena de hipótesis contradictorias que luchaban entre sí.

Hipótesis número uno: seguir a Oblivia. En Villa Argo estaban sus padres, que la ayudarían. Pero ¿cómo podría im-

pedir a Rigoberto que la siguiera? ¿Y Jason? ¿Podía abandonarlo en aquel lugar?

Hipótesis número dos: esperar a Jason e ir con él a recuperar las llaves y el cuaderno. Mientras tanto, debía convencer a Rigoberto para que la ayudara y no traspasara la Puerta del Tiempo.

Hipótesis número tres: largarse rápidamente de allí y darse un baño.

Mientras ella pensaba en todo esto, el viejo Ladrón de las Alcantarillas empezó a observar el sendero y el suelo de su alrededor.

—Es un lugar transitado, parece… —observó, agachándose para analizar algunas huellas que habían quedado impresas en la grava—. Una, dos, tres personas… por lo menos.

—¿Qué quieres decir con tres personas? —le preguntó Julia, mientras en la cabeza le rondaba la hipótesis número cuatro: Black Vulcano, su asistenta china y Oblivia Newton que traspasaban la puerta—. Hay todavía un sitio libre… —se dijo, mirando fijamente la Puerta del Tiempo.

—¿Cómo? —preguntó Rigoberto, levantando la cabeza.

El viejo parpadeó, sorprendido. La muchacha había desaparecido.

Se acercó a la puerta. Intentó empujarla. Después tirar de ella. Estaba cerrada.

Capítulo (17)
- Policías y ladrones -

Dos figuras furtivas, pequeñas y encorvadas, salieron disparadas por encima de las murallas, más allá de la hoguera, descendieron por un dédalo de escalerillas y cruzaron interminables patios plateados, sobre los cuales una procesión de cipreses proyectaba sombras con forma de coma.

Al llegar cerca del horrendo edificio que albergaba las mazmorras, Dagoberto le enseñó a Jason las cinco monedas que había encontrado en la faltriquera del guardia que dormía en las murallas y le explicó su plan.

Empezaron a inspeccionar el perímetro exterior del edificio, en busca del soldado adecuado.

Descartaron a una pareja de soldados altos y espigados, con expresión adusta. Tampoco un guardia rechoncho, con una cota de malla que le llegaba apenas hasta el ombligo, les pareció digno de ser corrompido. En la tercera entrada encontraron un soldado joven, apoyado en su alabarda y decididamente muerto de sueño: la cabeza se le caía continuamente, chocaba contra la cuchilla afilada del arma y el soldado se despertaba, con lo que el baile volvía a comenzar.

—Él —decidió Dagoberto, saliendo al descubierto.

Tuvieron que aclararse ruidosamente la garganta para que el soldado de guardia se percatara de su llegada.

—¿Quién va? ¡Alto! —les ordenó entonces, poniéndose firme con el yelmo torcido. Les apuntó con la alabarda como si fuera una caña de pescar, mientras intentaba espabilarse lo

suficiente como para poder enfocar a esos dos muchachos de aspecto insólito.

Dagoberto no perdió tiempo: le mostró una de las cinco monedas de oro que tenía entre los dedos y dijo:

—¡Por favor, soldado! Han arrestado a nuestro padre y querríamos hacerle una visita.

La punta de la alabarda pasó del cuerpo de Dagoberto a la moneda, apuntándola con precisión milimétrica. El hombre pareció considerar la petición y empezó a triturarla mentalmente como un exprimidor que tuviera que transformar unas naranjas en un zumo dulcísimo. Por fin, llegó a una conclusión.

—Pues claro, hijo mío —dijo con voz menos autoritaria que antes.

Extendió la mano con la palma hacia arriba. Dagoberto lanzó la moneda y la palma se cerró.

En el rostro del soldado se dibujó una sonrisa. Después empujó la verja de hierro que conducía a la prisión.

Dentro, oscuras antorchas alumbraban las bóvedas altas y angostas.

—¿Conocéis el camino? —preguntó.

—Naturalmente —le respondió Dagoberto. Al pasar a su lado, el ladronzuelo tropezó y chocó contra el soldado, al que pidió disculpas enseguida.

—No pasa nada. Saludad de mi parte a vuestro padre.

—¡Así lo haremos! —le respondió él.

Después le enseñó a Jason la mano. Con cinco monedas de oro.

Soldado tras soldado y palmo a palmo, los dos muchachos penetraron por dédalos concéntricos de habitaciones, adentrándose cada vez más, como dos gusanos a la caza de una jugosa manzana. Ocultándose y ofreciendo monedas que después recuperaban, pasaron por fosos, túneles en los que resonaba un coro de lamentos, oscuros edificios olvidados, patios sin ventanas, salas de techos bajos, paredes negras y paredes cubiertas de grafitos. Hasta que por fin llegaron a las mazmorras donde estaban los prisioneros recién llegados.

Cruzaron una mirada preocupada: las mazmorras se encontraban justo después de un pequeño puente arcuado que pasaba sobre un foso de carpas. Vigilando el paso, había una garita de tejado negro y untuoso, de la cual salían unas carcajadas burlonas.

Jason y Dagoberto se acercaron a la garita y llamaron a la puerta, que estaba abierta. Dentro dos soldados habían arrojado encima de la mesa unas tabas y hacían apuestas. En cuanto se dieron cuenta de que los observaban, los dos salieron disparados como un rayo hacia los taburetes en busca de sus espadas.

—Y vosotros, ¿quiénes sois? —preguntó uno de ellos, que lucía una barba en forma de pala.

En perfecta sincronía, Jason y Dagoberto les mostraron las monedas.

—Hemos venido a ver a nuestra hermanita… —explicaron.

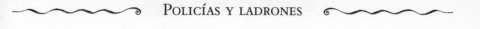

—¿Hermanita? —preguntó barba de pala, arreglándose la cota de malla como si fuera una camiseta arrugada—. ¿De qué hermanita estáis hablando?

—Es una chica de mi edad —explicó Jason—. Y se me parece. Sabemos que la han capturado esta tarde y... queríamos estar seguros de que está bien.

La moneda lanzó unos destellos irresistibles.

Los soldados cruzaron una mirada. Uno de los dos señaló el baúl que estaba en el suelo. Lo abrió y sacó la ropa de Julia. Al verla, Jason sintió que se le paraba el corazón.

—¿Llevaba esto puesto? —le preguntó el hombre.

—Sí —susurró Jason.

El soldado cerró el baúl. Barba de pala asintió y confirmó que la chica se encontraba bajo su protección.

—El hecho es que... el reglamento prohíbe cualquier tipo de visita... Y que, además, ninguno de vosotros dos tendría que estar aquí.

—Por favor... —insistió entonces Dagoberto—. Solo verla un momento. Para estar seguros de que está bien.

Una tercera moneda se añadió a las demás.

—¡Naturalmente! —exclamaron entonces los soldados. Barba de pala hizo señal al otro de que cogiera de la pared un enorme aro negro del que colgaban, como innumerables racimos de uvas, los manojos de llaves—. Lleva a los muchachos a la celda número uno.

Y extendió la palma hacia arriba.

Jason y Dagoberto siguieron al soldado por el pasillo y después por encima del pequeño foso poblado de peces. Mientras caminaban, Jason se preguntaba cuál podría ser la fase siguiente del plan. Dagoberto no parecía especialmente preocupado. Probablemente pensaba usar las otras dos monedas para convencer a los soldados de que sacaran de allí a Julia. Y probablemente tenía razón.

Pasado el puente, el guardia se puso a buscar la llave justa para abrir la puerta de la primera celda.

—Es bonito ver a una familia tan unida como la vuestra... —rió burlón cuando la encontró.

Abrió la cerradura.

—Por favor —dijo, señalando la boca oscura de la mazmorra.

—¡Puaj! ¡Soldados! —bramó de repente Manfred, antes de darle un puñetazo en la nariz.

El esbirro de Oblivia Newton aferró el cuerpo desvanecido del soldado antes de que este cayera al suelo y, con la rapidez de una pantera, lo arrastró dentro de la celda.

—Os habéis dado prisa... —dijo. Después miró mejor a Jason y a Dagoberto—. ¡Eh, pero si no sois vosotros! —comentó, perplejo.

Dagoberto lanzó una ojeada preocupada a sus espaldas, sacó las llaves de la cerradura de la puerta y entró.

—¿Y Julia? —preguntó Jason.

—Eso es. Julia se llamaba... —gruñó Manfred—. No está. ¡Pensaba que eras ella!

Zarandeó el cuerpo del soldado, lo colocó contra una pared, le arreó un segundo puñetazo por seguridad y después empezó a quitarle rápidamente la ropa.

—¡No entiendo! —exclamó Jason nervioso—. ¿Dónde está mi hermana! ¿Y qué haces tú aquí?

Manfred empezó a ponerse la ropa del soldado, gimiendo de dolor cada vez que una malla de hierro le arañaba la piel.

—Mira, no creía que volveríais a buscarme. Así que, gracias. Os debo un favor.

—¿Dónde está Julia?

—Ha salido con tu amigo —explicó Manfred, señalando el agujero en el suelo y a Dagoberto. Luego observó mejor al ladrón que acompañaba a Jason y añadió—: No, no era él. Era uno muy parecido, pero mucho más viejo.

Dagoberto pasó rápidamente revista a la celda con las llaves en la mano.

—¿Adónde lleva este desagüe? —preguntó Jason.

Manfred se puso el yelmo y el cinto con la espada.

—No pienso averiguarlo. Bueno, ¿nos vamos?

—¿Es que quieres salir así? —preguntó Jason exasperado.

Dagoberto hizo tintinear el manojo de llaves.

—Es una buena idea —comentó—. Sobre todo si llamamos a unos cuantos amigos…

Al primer grito de felicidad, el soldado con la barba de pala dejó de dar vueltas a las tres monedas de oro que tenía

entre los dedos. Al segundo, se levantó del taburete. Finalmente, cuando el pasillo quedó invadido por gritos y carcajadas, salió de la garita.

Fue como sufrir el ataque de un monstruo hecho de harapos, con cincuenta cabezas y cien pies.

—¡No! —gritó, metiéndose rápidamente dentro de la garita para refugiarse.

Por lo menos cincuenta prisioneros pasaron gritando, con un pataleo enloquecido rebosante de felicidad. Parecían colegiales incontenibles que acabaran de aprobar el último examen del curso.

Cuando la primera oleada pasó, el soldado con la barba de pala se volvió a poner de pie, intentando averiguar lo que había pasado y, sobre todo, cómo dar la voz de alarma. Recuperó el yelmo caído por los suelos y se precipitó hacia la puerta gritando:

—¡Alarma! ¡Alarma!

Lo detuvo un compañero con una larga cicatriz en el cuello.

—¡Los prisioneros han huido! —le gritó barba de pala.

—¡Menos mal! —exclamó Manfred, propinándole un puñetazo en la nariz. Cuando también este cayó al suelo, el esbirro de Oblivia Newton se felicitó a sí mismo—. ¡Puaj! ¡Soldados! —comentó, pasando por encima del cuerpo desvanecido de barba de pala.

Los dos chicos abrieron el baúl. Jason se abalanzó sobre las llaves, pero Manfred lo detuvo enseguida. Sin dejar de suje-

tarle el brazo, el esbirro de Oblivia aferró la llave del gato y la del león.

—Si no me equivoco, estas son mías. Las otras, dado que has venido a liberarme, son para ti.

Le soltó el brazo. Jason aferró las cuatro llaves de Villa Argo y cogió la ropa de Julia. Dagoberto se lanzó sobre el cuaderno y Jason no se lo impidió.

Un trato era un trato.

Manfred recuperó lo que quedaba de sus gafas de sol y de sus ropas de ayudante de peluquería. Después volvieron a cerrarlo todo, cogieron las tres monedas de oro de la mesa de los soldados y se quedaron con una cada uno.

Y después se dirigieron lentamente hacia la salida. Cada vez que oían pasos acercarse, Manfred alzaba del suelo a los dos chicos gritando:

—¡Os he pillado! ¡Es inútil que intentéis escapar!

Y así, un cuarto de hora más tarde, habían salido fuera.

—¡Uau! —comentó Black Vulcano, cerrando el grifo.

Ni coches ni móviles. No había nada mejor que una ducha hirviendo para recuperar el contacto con el presente. Salió de la ducha chorreando. Puso una toallita sobre el suelo de mármol para no sentir frío en los pies y después la utilizó como una tabla de surf para moverse.

Se deslizó hasta el armario de la ropa blanca, del que sacó un albornoz azul claro con la inicial C bordada en el bolsillo.

—La época de los Moore ha acabado… —comentó poniéndoselo y empezando a frotarse con fuerza.

Convino en que los albornoces también eran un gran invento. Después se miró al espejo. Los años medievales le habían hecho perder peso, pero lo habían robustecido. Y sus ojos eran los mismos ojos maliciosos de siempre.

Silbó, dudando entre los muchos frascos de colonia alineados encima del lavabo. Después vio el bote verde de los polvos de talco y no consiguió resistir la tentación de echarse talco blanco y perfumado por todo el cuerpo.

Zan-Zan llamó a la puerta.

—¡La he cogido! —exclamó.

Black Vulcano la dejó entrar.

—¿A quién has cogido?

—¡A la mujer! —Zan-Zan tenía los ojillos sonrientes, complacida por haber estado a la altura de la tarea que le habían encomendado—. Está abajo. ¿Vienes?

—¿Oblivia Newton? ¡Un segundo! —exclamó el hombre, patinando sobre la toalla para llegar hasta sus zapatillas de deporte, completamente desgastadas.

Pero un instante antes de ponérselas, percibió con un arrebato de felicidad la presencia de un par de pantuflas de paño escocés con generoso forro interior. Metió dentro los pies y bajó las escaleras en compañía de su asistenta sonriendo beatíficamente.

—¡Qué agradable perfume! —observó ella, envuelta a su pesar en la nube de polvos de talco liberada por Black Vulcano.

—Civilización, querida. Se llama civilización.

Llegaron al pie de la escalera, doblaron a la izquierda y salieron al porche. La mujer estaba tendida en el sofá, profundamente dormida.

—Aquí está. Por fin —canturreó Black Vulcano. Observándola mejor, frunció el ceño. Le rozó el pelo y comentó sin ninguna elegancia—: La verdad es que me la imaginaba más joven. —Después rió y le confió a Zan-Zan—: Según Dedalus, era guapísima… Ah, pero los gustos de Peter han sido siempre un poco especiales… ¡Sobre todo en lo que a mujeres guapas se refiere!

Black abrazó a Zan-Zan y le estampó un beso en la frente. Luego un estruendo le hizo volver la vista atrás.

—¿Qué ha sido eso? —se preguntaron los dos al unísono, volviendo rápidamente hacia las escaleras.

Oyeron una carcajada histérica y por fin un grito liberador:

—¡Lo he conseguido! ¡Sí! ¡Es Villa Argo!

Black Vulcano y su asistenta se dirigieron con cautela a la salita del teléfono, mientras la fuente de aquel jaleo estallaba en risas y daba palmadas.

Del saloncito de la Puerta del Tiempo irrumpió una joven vestida con unos sucios harapos. Al verla aparecer así, de una forma tan inesperada, Zan-Zan dio un paso hacia atrás.

—¡No te dejaré escapar tan fácilmente, Oblivia! —gritó la muchacha, tambaleándose sobre la alfombra limpia—. ¡Detente, ladrona! ¡Esta es mi casa!

Black y Zan-Zan se dieron cuenta entonces de que en la habitación había una persona más, de pie frente a la joven. Pasaron por el arco de entrada y pusieron fin a la discusión un momento antes de que se enzarzaran en una pelea.

—Pero ¡bueno! ¿Se puede saber qué está pasando aquí? —gritó el ferroviario de Kilmore Cove, dominando el salón con su albornoz con la C bordada y las pantuflas escocesas del señor Covenant—. ¿Quiénes sois vosotras?

Las dos intentaron distinguir la figura de la persona que las había interrumpido. Ambas parecían muy extrañadas de encontrarse ante Black Vulcano.

—¿Papá? —preguntó Julia, al reconocer el albornoz.

—¿Papá? —preguntó también Oblivia, al reconocer a su padre.

Capítulo (18)
- Carreras -

*L*a mantita de lana escocesa no bastaba en absoluto para proteger las piernas del aire frío de la noche. Sentado en el sidecar de Ulysses Moore, Rick tenía los mofletes hinchados por el viento y no conseguía mantener la boca cerrada. Nestor, montado en la moto, conducía con gran pericia, inclinándose en las curvas para tomarlas lo mejor posible. El sidecar bajaba como un formidable abejorro por la carretera oscura y serpenteante de Salton Cliff, apuntando a las casas de Kilmore Cove dormidas en la noche.

El ruido de la moto era tan ensordecedor que durante todo el recorrido Rick no consiguió hacer ni siquiera una pregunta, ni tampoco oír una palabra de lo que le decía Nestor. Solo cuando el viejo jardinero aparcó a pocos metros de su casa y apagó el motor, los oídos del muchacho volvieron a funcionar.

Nestor se bajó cojeando del sillín, dio una palmadita a la silueta panzuda de su Ural de la Segunda Guerra Mundial y se quitó el casco con un gesto digno del Barón Rojo.

Rick estiró las piernas entorpecidas e hizo lo mismo.

–Hola, Phoenix… –dijo Nestor, dirigiéndose a la figura negra que se recortaba contra la luz de una farola–. Hemos venido lo antes posible.

El padre Phoenix sonrió bondadosamente a Rick y saludó a Nestor, dándole una palmadita en la espalda–. Hace tiempo que no te dejas caer por aquí, ¿eh?

–El domingo es el mejor día para regar las plantas.

El padre hizo caso omiso de la broma y señaló la casa en la que vivía Rick, con todas las ventanas iluminadas.

–Por eso os he llamado. Luces encendidas y nadie en casa.

Rick sacudió la cabeza preocupado.

–Es culpa mía –murmuró–. Tenía que haber avisado de que no volvería para cenar.

–Creo que tu madre ha salido a buscarte –dijo el padre Phoenix–. Te ha dejado un mensaje arriba. No creo que tarde mucho, pero lo mejor será que la esperemos aquí.

Subieron las escaleras y entraron en la casa.

–Perdonad por el desorden –se disculpó automáticamente Rick, atravesando la puerta.

El mensaje que su madre le había dejado en la cocina decía: «He ido a buscarte. Si vuelves, espérame en casa.»

Rick se sintió de nuevo culpable. Invitó a Nestor y al padre Phoenix a sentarse a la mesa y les ofreció sopa caliente.

–¿Por qué no? –respondió el sacerdote, sosteniendo la mirada de Nestor, que, sin embargo, parecía nervioso.

De vez en cuando, el jardinero de Villa Argo iba a la ventana y miraba hacia fuera.

–¿Tienes miedo de que te roben el sidecar? –le preguntó el padre Phoenix.

–Sí, eso es.

Rick puso la cazuela en el fuego, cogió tres platos y tres vasos y los puso en la mesa. Mientras daba vueltas a la sopa con un cucharón de madera, dijo:

—Es bonito saber que vosotros dos sois viejos amigos.

—¿De verdad? —sonrió el padre Phoenix.

—Leonard y Nestor me han contado lo del gran verano. Y lo de la caja con las llaves.

El sacerdote esperó a que Nestor le hiciera un gesto afirmativo con la cabeza y después dijo:

—Las llaves de la Puerta del Tiempo.

—Exacto —continuó Rick.

—¿Y te han contado también el resto de la historia?

—No. Hemos tenido que venirnos corriendo aquí —intervino Nestor.

—¿Por dónde ibais?

Rick, creyendo haber intuido a qué aludía el padre Phoenix, respondió:

—Nos hemos quedado en que Nestor y Ulysses Moore son la misma persona.

El padre Phoenix asintió pensativo.

—Antes o después hay que revelar ciertas cosas.

—Sí —comentó Nestor, volviendo a mirar por la ventana. Apartó la cortina para ver mejor y después añadió—: Voy a buscar a tu madre. A lo mejor ha pasado por la taberna.

Y bajó las escaleras a toda prisa.

Cuando se quedaron solos en la habitación, Rick y el padre Phoenix se pusieron a hablar. Rick le sirvió unos cazos de sopa caliente, se puso un buen plato para él y después partió una barra de pan e hizo unos picatostes.

—Me estaba contando el resto de la historia… —dijo Rick.

—Dicho y hecho. Después del gran verano, en Kilmore Cove no vimos a los Moore durante unos cuantos años… —empezó a contar el sacerdote—. Solo de vez en cuando llegaba alguno. Pero fue cuando el abuelo murió y el padre de Ulysses, John, se vino a vivir aquí cuando las cosas empezaron a cambiar de verdad. Fue hace treinta años, más o menos. Nosotros habíamos crecido y ninguno había descubierto todavía la utilidad de las llaves con formas de animales. Nos las habíamos repartido y cada uno guardaba la suya como si fuera una especie de talismán. Pero cuando John volvió a abrir Villa Argo, las cosas cambiaron. Llegó un sobre con las cuatro llaves de la Puerta del Tiempo y los Moore la abrieron, descubriendo la *Metis*.

—Me lo han contado… —dijo Rick, sorbiendo la sopa.

—Entonces te habrán contado también lo de los viajes que los Moore hacían, a veces con alguno de nosotros, hasta… hasta el viaje a la Venecia del siglo XVIII, cuando Ulysses Moore se enamoró de Penelope.

—Sí —asintió Rick.

—El suyo fue un amor total y absoluto: uno de esos amores sin condiciones ni vías de fuga. Para todos los que los vieron juntos la primera vez, resultó evidente que fue un amor a primera vista. En la época de aquel viaje yo estaba terminando mis estudios lejos de Kilmore Cove y cuando volví para convertirme en el párroco de la iglesia de St Jacobs… —El padre Phoenix rió— descubrí lo que había pasa-

do: hablé con el padre de Ulysses, quien me confió que había decidido irse a la Venecia del siglo XVIII para permitir a Penelope y a Ulysses vivir juntos en Villa Argo. Y eso hizo: John se fue a Venecia y Penelope vino a Kilmore Cove. Los casé yo, en la gruta, ante sus amigos del pueblo. Con la despedida del padre y el descubrimiento de la Puerta del Tiempo, se volvió a formar el grupo del gran verano. Yo no quise formar parte de él. Clitennestra se había ido a trabajar como maestra. Y Calypso iba algunas veces, cuando no jugaban al ajedrez.

—¿Ajedrez?

—Era su pasatiempo favorito. Y tengo que confesar que alguna vez yo también subía a Villa Argo o a la casa giratoria proyectada por Peter para echar una partida. Pero… no es esta la historia que te quería contar, Rick —añadió el padre Phoenix, posando la cuchara—. Aquel grupo de personas llegó a obsesionare con la idea de descubrir los secretos de este pueblo. Todas las puertas. Todas las llaves. Y al igual que descubrieron la parte maravillosa de las Puertas del Tiempo, descubrieron también su parte horrible. Algunas de las siete puertas conducían a lugares aterradores y peligrosos. Lugares de los cuales no podía permitirse que nada entrara en nuestro pueblo. El antepasado Raymond y su hijo William los habían puesto en guardia y habían intentado hacer desaparecer todas las llaves hacía muchos años… Ellos, que habían proyectado Turtle Park en honor de las tres tortugas de los constructores de puertas…

Rick bostezó imperceptiblemente, esperando que el padre Phoenix llegara pronto al meollo de la cuestión.

–Hay cosas que habría que dejar al margen de los intentos de explicación científica. Y una de esas cosas son las puertas de Kilmore Cove. Pero ellos... mis amigos querían descubrir a toda costa quiénes las habían construido y por qué. ¿Habían sido los antepasados de los Moore? ¿Quizá Xavier, el fundador de la dinastía? ¿O a lo mejor estaban todos muertos? Pero si era así... ¿quién les había enviado a Villa Argo las cuatro llaves?

Rick dejó también la cuchara y prestó atención.

–Yo no sé lo que descubrieron al final, pero creo que poco. Peter había inventado un sistema para mandar mensajes de uno a otro de los lugares comunicados por las Puertas del Tiempo, pero... hace más o menos diez años el grupo se separó.

–¿Qué quieres decir?

–Hubo un accidente. Durante uno de sus viajes, Ulysses y Leonard pusieron en peligro sus vidas. Leonard perdió un ojo y Ulysses quedó herido. Indagar sobre los constructores de puertas era peligroso, al igual que las puertas mismas. El grupo, que había decidido ya aislar Kilmore Cove del resto del mundo para protegerlo, dio un paso más: cerrar las puertas y hacer desaparecer, de nuevo, todas las llaves. La historia se repetía: al igual que Raymond, ahora también Ulysses intentaba cerrar para siempre las puertas que él mismo había abierto. Penelope vino a pedirme la llave.

—Y usted…

—Pues se la di, claro. Después de todo, era solo una llave con forma de mono. Y lo mismo hicieron todos los demás chicos del gran verano, excepto Clitennestra, que dijo que la había perdido durante los años que había pasado lejos de aquí.

—Y, sin embargo, no la había perdido.

—Leonard no estaba de acuerdo. Quería seguir indagando. Quería descubrir el secreto de los constructores de puertas. Así, cuando cogieron también su llave, empezó a buscar él solo una muy especial: la Primera Llave. La pelea entre él y Ulysses fue furibunda. Los Moore prohibieron a Leonard subir a Villa Argo, pero el guardián del faro siguió en sus trece. Y en este momento entra en juego tu padre.

—¿Papá? —preguntó Rick.

—Leonard pensó siempre que la Primera Llave se encontraba en el mar, exactamente igual que las otras llaves que habían llegado a la playa arrastradas por las olas. Tu padre era un excelente marinero. Ambos sabían usar bien las botellas de buceo y eran expertos submarinistas.

Rick empezaba a entender adónde quería ir a parar la historia del padre Phoenix.

—Leonard y tu padre buscaron la Primera Llave durante meses, años, mejor dicho… Al principio, Leonard pagaba a tu padre por cada excursión que hacían. Después también él se apasionó con la búsqueda. Hasta que un día aciago…

—Mi padre murió.

—Leonard encontró solo su barca, con las redes y el equipo de buceo. Lo buscamos durante días, batiendo furiosamente el mar. Pero… no hubo nada que hacer.

La mano del sacerdote apretó con fuerza la de Rick.

El chico pelirrojo levantó la cabeza y miró al padre Phoenix con mirada firme.

—Esta tarde Leonard me ha dicho que ha encontrado la Primera Llave. Y ha añadido que… no ha llegado el primero. ¿Eso significa que ha encontrado… allí abajo también… a mi padre?

El padre Phoenix clavó la mirada en un punto indefinido a espaldas de Rick y asintió.

—Puede ser, Rick.

Oyeron los pasos renqueantes de Nestor que subía las escaleras y llegaba hasta ellos jadeante:

—Sí. Ha pasado por allí. Pero no saben adónde ha ido. ¿Queda todavía un poco de sopa?

—Claro. —Rick se levantó de un salto de la silla.

El padre Phoenix sacó una fotografía de debajo de su hábito negro.

—Y ahora vamos al motivo por el que estamos aquí. —Les enseñó la foto y dijo de golpe—: El día del funeral de tu padre tu madre llevaba colgada la Primera Llave.

Rick dejó caer el plato al suelo, que se rompió en mil pedazos.

—¿Cómo? —casi gritó.

Nestor tenía una expresión aún más sorprendida si cabe.

—Tu madre tenía la Primera Llave, Rick… —repitió el padre Phoenix—. Y es por eso por lo que estamos un poco preocupados ahora.

—¿Te acuerdas del viejo Banner? —preguntó Leonard Minaxo a Fred Duermevela, mientras bajaban a la gruta de Turtle Park con la linterna encendida.

—Pues claro que me acuerdo. Faltaría más… —respondió el funcionario del ayuntamiento, que caminaba con la cabeza medio inclinada—. Una buena persona. Como su hijo.

—Sí —murmuró Leonard.

—Acabó mal —continuó Fred, dando un suspiro—: El mar. Quita y da, sin detenerse jamás. Y a ti te ha ido bien también, con ese ojo.

—¿Este? —bromeó Leonard—. No fue el mar.

Fred frunció el ceño:

—Pero si todo el mundo sabe que te mordió un tiburón. Incluso el doctor Bowen.

—Fred, tú sabes cuánto te aprecio —le respondió el farero, poniéndole una mano en el hombro—. Pero… dime, ¿tú has visto alguna vez un tiburón en estas aguas heladas?

Fred pensó un poco.

—Hum… la verdad es que no. ¡Pero he visto ballenas alguna vez! Y grandes.

Leonard asintió, prosiguiendo el descenso hacia el tren de la eterna juventud.

Después pensó él también en las ballenas.

Al mirar a Fred, que caminaba a su lado, pensó que le habría gustado contarle cómo había perdido el ojo y habían llegado Ulysses, Penelope y Calypso a salvarlo. Penelope y Ulysses lo habían llevado después corriendo al doctor Bowen, mientras que Calypso… Calypso había vuelto a su librería, llorando desconsolada.

La ballena, pensó Leonard. Y Calypso.

También aquella tarde había sido ella quien le había salvado la vida.

«Pero ¿cómo ha podido saber que estaba en peligro?», se preguntó, deteniéndose de golpe.

Fred dio aún unos pasos antes de darse cuenta de que estaba solo en la oscuridad.

—¿Leonard?

El farero movía la linterna sin cesar.

—¿Cómo ha podido saberlo? —repitió en voz alta.

—¿Cómo ha podido saber qué? —respondió Fred.

—Estaba en alta mar… —explicó Leonard, siguiendo el hilo de sus pensamientos—. Y ella ha venido a salvarme al punto preciso donde me encontraba, con el señor Covenant y el arquitecto.

—Te confieso que no entiendo de qué estás hablando… —farfulló Fred.

—Como si alguien la hubiera avisado. ¿Entiendes?

—Pues la verdad, no —se disculpó Fred—. Pero hoy no es mi día, créeme. Solo espero que se acabe pronto porque, además, estoy muerto de cansancio.

—Oye, Fred —dijo Leonard, mirando hacia atrás con ojos febriles—. Necesitaría que me hicieras un favor. Desde aquí tú sabes llegar hasta el tren, ¿verdad?

Fred se rascó la cabeza.

—Sí… basta llegar a aquel ascensor de allí abajo y bajar.

—Estupendo. Mira, me fío ciegamente de ti. —Leonard le pasó anhelante la ampolla de somnífero verde—. Todo lo que te pido que hagas es… subir a aquel tren y, si ves salir a alguien por la puerta del fondo… no es que tenga que pasar, pero podría pasar… le echas esto en la cara soplando. Después llego yo. Y tú te vas a casa a dormir.

Fred miró la hora, aburrido.

—No es tan fácil como crees. Cuando acabe con esta historia del tren, tengo que volver al trabajo en el ayuntamiento. De todas formas, acepto… —dijo, cogiendo el frasco—. Mañana puedo dormir sin problemas.

Leonard lo abrazó, lleno de gratitud.

—Gracias —exclamó.

Después se dio la vuelta y echó a correr hacia la librería de Calypso como una exhalación.

El joven ladrón de los tejados detuvo a Jason y a Manfred con un gesto de la mano.

—¿Qué pasa ahora?

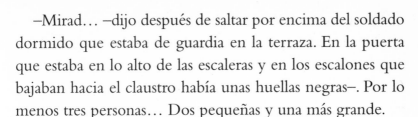

–Mirad… –dijo después de saltar por encima del soldado dormido que estaba de guardia en la terraza. En la puerta que estaba en lo alto de las escaleras y en los escalones que bajaban hacia el claustro había unas huellas negras–. Por lo menos tres personas… Dos pequeñas y una más grande.

–Mala señal –comentó Manfred, apoyándose en su alabarda de soldado.

–¡A mí no me lo parece! –exclamó Jason, lanzando un suspiro de alivio–. ¡Algunas de estas podrían ser de Julia!

–Sí. Pero las más grandes podrían ser de Oblivia –rió pérfidamente Manfred.

Jason se asomó para mirar la escalera por la que él y su hermana habían subido hacía solo unas horas. Las huellas se dirigían, sin lugar a dudas, hacia abajo.

–La puerta está ahí abajo. Y yo necesito saber dónde está mi hermana.

–¡Bien dicho! –saltó Manfred–. Vámonos de aquí lo antes posible.

Jason empezó a bajar los escalones y después se dio la vuelta hacia Dagoberto, que se había quedado en lo alto de la escalera.

–¿No vienes?

El joven ladrón negó con la cabeza.

–Te he traído donde me pediste. Mi misión acaba aquí.

Jason no insistió porque sabía que era mejor para todos guardar el secreto de la Puerta del Tiempo. Volvió sobre sus pasos y le tendió la mano.

—Como quieras. Gracias por todo.

—Gracias a ti —respondió Dagoberto, levantando el cuaderno.

Los dos chicos permanecieron un largo instante uno frente a otro.

Manfred, por su parte, empezó a bajar ruidosamente la escalera.

Cuando llegó al claustro, lo reconoció a duras penas. Y, sin embargo, era allí donde los soldados los habían capturado a Oblivia y a él nada más asomar la cabeza de la gruta con la nave enloquecida.

—Increíble —farfulló el hombre, siguiendo las huellas que habían dejado los pies de Julia, Oblivia y Rigoberto.

Las huellas conducían hasta delante de una puerta que Manfred reconoció enseguida. Era exactamente la puerta por la que habían entrado allí.

—¡Esperemos que al otro lado no haya otra tormenta! —gruñó.

Intentó abrirla, pero la puerta parecía cerrada. Manfred la sacudió, tiró de ella, la empujó y luego se puso a dar golpes encima con el asta de la alabarda.

—¿Qué pasa? —le preguntó Jason, que llegó corriendo hasta donde estaba él.

Manfred dio una última patada a la puerta, se alejó y la miró a hurtadillas.

—Pasa que no se abre.

—¿Cómo que no se abre? —murmuró Jason. Lo intentó él también y descubrió que Manfred tenía razón. Y en el mismo momento en que lo descubrió, un terror incontrolable se apoderó de él—. ¡Está cerrada! ¡La Puerta del Tiempo está cerrada!

—¿Y entonces? —gruñó Manfred a su espalda.

Jason abrió los brazos abiertos.

—¡Entonces estamos atrapados!

El claustro vibraba de sombras y de extraños ruidos subterráneos. Manfred y Jason, uno enfrente del otro, parecían dos estatuas de sal.

—Para, para —dijo Manfred—. ¿Qué quieres decir con eso de que estamos atrapados?

—La Puerta del Tiempo… —balbuceó Jason—. Es el único modo que tenemos para volver a Villa Argo. Tenía que permanecer abierta hasta que cuatro personas la traspasaran de nuevo.

Manfred golpeó la puerta con la alabarda.

—Pero está cerrada.

—Entonces las cuatro personas han vuelto ya…

—Pero ¿cómo es posible? ¿No… no hay un control de documentos o algo parecido? —Jason movió la cabeza y Manfred se puso a lanzar improperios—. Cuando coges un avión te registran diez veces, te controlan los billetes y los pasaportes y…

Jason casi rompió a llorar, palpándose el bolsillo.

—¡Y las llaves están aquí!

—¡Ahora entiendo! —Manfred dio un par de patadas más a la puerta—. Es como cuando me dejé las llaves de casa en el coche, que estaba cerrado, y en casa las del coche.

—Más o menos.

—Bueno, se podrá romper el cristal —insistió él—. Siempre podemos romper el cristal. O derribar la puerta.

—No este tipo de puertas.

Manfred apretó los puños y se puso a caminar en círculos.

—Ya sabía yo que no tenía que haber entrado. Lo intuía. Tenía que haberme quedado allí, con Gwendaline, cortando el pelo. Eso es lo que tenía que haber hecho. Como cuando Oblivia fue a abrir la puerta de aquella vieja con cien gatos. Yo odio a los gatos: los habría metido a todos en el horno. Pero me quedé en Kilmore Cove, empapándome. ¡Y ni siquiera sé adónde fue por aquella puerta!

—Fue a robarnos un mapa a la Tierra de Punt.

—¿Y qué rayos es la Tierra de Punt?

—El Antiguo Egipto —murmuró Jason con la voz rota.

—¿Algo parecido a esto? —le preguntó Manfred.

—Más o menos. Pero mucho más antiguo.

—Como la Reina Madre —dijo Manfred, pensando en lo más antiguo que conocía—. O el Manchester United.

Jason se mesó los cabellos.

—¿Y ahora?

Manfred dio un par de empujones más a la puerta por si acaso. Después miró a su alrededor. Y de nuevo sintió que lo estaban observando.

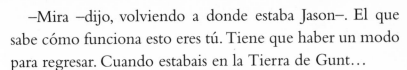

—Mira —dijo, volviendo a donde estaba Jason—. El que sabe cómo funciona esto eres tú. Tiene que haber un modo para regresar. Cuando estabais en la Tierra de Gunt…

—Punt —corrigió Jason.

—Lo que sea. ¿Oblivia cómo regresó? ¿Por la casa de los gatos?

—Sí.

—¿Y vosotros?

—Por la puerta de Villa Argo… —resopló Jason. Era evidente que Manfred no conocía la diferencia entre las siete Puertas del Tiempo de Kilmore Cove, cada una de las cuales se abría con una sola llave y conducía a un solo lugar, y la de Villa Argo, que podía llevar a distintos Puertos de Ensueño—. Pero… ¡espera un momento!

Mientras los dos hablaban, las sombras del claustro empezaron a moverse, como si escondieran extrañas presencias que se desplazaban lentamente.

—¿Has visto? ¿Se te ha ocurrido alguna idea? —sonrió Manfred, arrodillándose ante él.

—Quizá… haya una posibilidad… —empezó a decir Jason. Después exclamó—: ¡Porras! ¡El cuaderno! —Miró a Manfred a los ojos—: ¡Nos hace falta el cuaderno que le he dado a Dagoberto!

—¡Muy bien! —respondió Manfred, poniéndose de pie y echando a correr. A su paso, las sombras que habían empezado a asomar en el claustro se ocultaron, agolpándose detrás de Jason—. Pero ¿para qué nos hace falta?

—La puerta del caballo —explicó Jason, corriendo detrás de él agitado—. Cuando Black Vulcano vino aquí utilizó la puerta del tren de la eterna juventud.

—Me fío de ti —dijo Manfred, que no había entendido ni una sola palabra—. ¿Entonces…?

—Entonces si la encontramos es posible que uno de nosotros pueda regresar… ¡Ay! —dijo Jason, rodando de repente por los suelos.

Manfred continuó corriendo escaleras arriba subiendo los peldaños de dos en dos. Cuando se dio cuenta de que Jason no estaba detrás de él, había llegado ya casi hasta arriba.

—¿Jovencito? —preguntó, dándose la vuelta—. ¿Jovencito? ¿Dónde te has metido?

Le respondió el eco de su propia voz.

Manfred salió de las murallas y vio a Dagoberto acurrucado junto a las brasas de la hoguera. Estaba consultando su nuevo cuaderno.

—¡Uf! Estás aquí. Menos mal. Necesitamos eso… —Manfred se dio la vuelta—. Aunque… no veo al chico.

Dagoberto movió la cabeza y le indicó las huellas sucias en los peldaños.

—Pues entonces no es buena señal. Porque esas huellas son de los Ladrones de las Alcantarillas.

Capítulo (19)

- Padres e hijas -

*E*n Villa Argo reinaba una enorme confusión. Oblivia Newton había agredido a Black Vulcano. Luego, tras una inútil y encarnizada discusión, los dos habían empezado a mirarse con saña. Julia, mientras tanto, gritaba que aquella era su casa : salió de la sala y se puso a llamar a gritos a sus padres, a los que descubrió dormidos en el sofá, envueltos en una plácida nube de manzanilla. No fue fácil para Zan-Zan explicar lo ocurrido.

¿Dónde había ido a parar Nestor? ¿Y Rick? ¿Había quedado atrapado en las galerías subterráneas?

Mientras intentaba encontrar respuesta a sus preguntas, Julia inspeccionó toda la casa. Descubrió a otra mujer, dormida en el sofá del porche, y exigió una explicación al respecto.

Pero el hedor de Oblivia y Julia era tal que Black decidió que las dos viajeras lo primero que tenían que hacer era lavarse. Zan-Zan acompañó a Oblivia a la ducha, le indicó el grifo del agua caliente y le dio unas explicaciones incomprensibles a las que Oblivia replicó:

—Sé lo que es una ducha, gracias.

La asistenta de Black le señaló un vestido de flores, que había tomado prestado del guardarropa de la señora Covenant, y salió.

Mientras Julia se daba también un baño rápido, Black Vulcano suspiró. Miraba a la mujer dormida en el sofá del porche y se preguntaba quién podría ser.

Cuando se dio cuenta de que Zan-Zan había regresado, se dio la vuelta hacia ella para preguntarle algo, pero en ese instante recibió un violentísimo e inesperado bofetón en mitad de la cara.

–¡Ay! –chilló, tocándose la marca roja de los cinco dedos que relucía en su mejilla–. ¿Te has vuelto loca?

El rostro sereno y distante de la asistenta china se había transformado en la máscara de un feroz dragón. La mujer indicó las escaleras que subían al piso de arriba, de donde provenía un fuerte rumor de agua corriendo.

¿Así que tienes una hija, eh? –le gritó, yendo después a sentarse, ofendidísima, en una butaca–. ¡Muy bien!

Veinte minutos después, Black, Zan-Zan, Oblivia y Julia estaban cara a cara en torno a la mesa de la cocina, una de las pocas habitaciones en las que no había personas durmiendo. La primera cuestión que había que abordar era el motivo por el cual Oblivia había llamado a Black Vulcano «papá».

–El hecho es que… –empezó a decir el antiguo empleado de ferrocarriles, turbado–, yo soy quizá la persona menos indicada para hablar. A decir verdad, querida señora Newton…

–Señorita.

–Señorita Newton… yo no la conozco. Todo lo que sé de usted me lo contó Peter. Y era muy lisonjero, créame. Pero… ahora… –Black se tocó la mejilla enrojecida–. La verdad es que no sé qué pensar.

Se interrumpió: del saloncito de la Puerta del Tiempo llegó un retumbar sordo, como si alguien estuviera dando golpes al otro lado para intentar abrirla.

–¡Oh, no! ¿Qué pasa ahora?

Al oír los golpes, Julia tragó saliva con dificultad, aterrorizada. ¿Sería quizá Jason que llamaba desde el otro lado? Se levantó, en mitad del silencio de todos los presentes, y fue hasta la Puerta del Tiempo. La madera negra y llena de arañazos era un reflejo perfecto de su estado de ánimo.

Julia se apoyó en ella e intentó oír algo.

Pero la puerta permaneció en silencio.

Cuando volvió a la cocina, Oblivia había empezado a hablar:

–Lo único que poseo de mi padre es una fotografía que encontré en un cajón de mi madre. Ella no me hablaba nunca de él. Y cuando le preguntaba, me decía que había emprendido un largo viaje, dándome a entender que había muerto.

–¿Y ese hombre soy yo?

–Sin lugar a dudas –respondió Oblivia.

Black Vulcano se sonrojó.

–Pero… pero… ¡es sencillamente imposible!

Julia corrió el taburete de la cocina arrastrándolo por el suelo.

–A lo mejor deberías decirle quién era tu madre, Oblivia.

–Clitennestra Biggles.

El hombre dio un respingo:

–Caramba. Entonces es posible que…

Zan-Zan le pegó otro bofetón.

–¡Quieta! –terció Julia. Aunque comprendía sus celos, aferró a la joven chinita y la condujo fuera de la cocina, al

jardín–. Es una cuestión delicada... ¡Es mejor que los deje-
mos hablar a solas!

Zan-Zan ahora sollozaba de rabia, alternando con el llan-
to breves frases inconexas:

–No me había dicho... engañada... y ahora descubro...
otra mujer... y una hija...

–Sí, sí, claro... Tranquilízate... –intentó consolarla Julia,
que tenía otras preocupaciones en la cabeza. Las sombras fa-
miliares de los árboles del jardín, el gran sicomoro, el lento
rodar de las olas en del acantilado consiguieron relajarla un
poco–. Todos los hombres son iguales –dijo, repitiendo una
frase que había oído mil veces, pero que en realidad no creía.

Pensó en Jason, que no era igual a ningún otro.

Y pensó en Rick, único e insustituible como su hermano.

Una vez solos en la cocina, Oblivia empezó a mirar a Black
Vulcano con ojos llenos de odio.

–Mamá no dejó Kilmore Cove porque quisiera. Dejó el
pueblo porque tuvo que hacerlo. Y se avergonzaba de ti. Se
avergonzaba tanto que no le contó lo que había pasado ni
siquiera a su hermana.

Black cerró el frigorífico y se puso en la mejilla una bolsa
de productos congelados.

–Ni siquiera lo sabía yo. Pero, créeme, yo quería a tu
madre.

–Pues parece que ella no pensaba lo mismo. Yo nací en
Cheddar sin un padre. Me crió ella sola. Ella sola.

—Ejem, lo siento. Pero no podía imaginar…

—He estudiado, he trabajado. Sola. Siempre sola. Y me he hecho rica.

—Me alegro por ti… Pero tu madre…

—¡Te ha quitado un buen peso de encima!

—¡No! ¡La he echado muchísimo de menos siempre! Yo… He pensado siempre en ella: ¡le dediqué incluso mi locomotora! —se disculpó Black.

—¿Y por qué no diste señales de vida en treinta años? ¿Por qué no fuiste nunca a verla?

—Ella no quería —se justificó el hombre—. Lo que hubo entre nosotros fue… cómo te diría yo… una falta de comunicación dramática.

Oblivia rió amargamente.

—Ya lo veo ya. Menudo drama. Mamá está muerta y tú te has buscado otra mujer.

—¡Es solo mi asistenta! —se justificó Black—. Y, además, no es bueno que un hombre anciano como yo viva solo…

—Tampoco es bueno para una niña crecer sin un padre. O imaginarlo y soñarlo mejor de lo que es.

—¡Un poco de respeto! —murmuró Black, dejando la bolsa de congelados en la mesa de la cocina—. ¿Quién podía imaginárselo? Una curiosidad: ¿quién eligió tu nombre?

—Me lo elegí yo sola, para lograr hacer carrera en los círculos importantes. ¡En Londres!

—Claro. —Black empezó a mover la cabeza—. Ahora entiendo por qué tienes la llave… Qué locura. Clitennestra.

Y mi hija. ¡Que, además, corrió el riesgo de convertirse en la novia de Peter!

—¡Yo no he sido nunca novia de Peter! ¡No quería saber nada de él!

—¡Ah, menos mal! —exclamó el padre, impetuoso—. ¡Es mejor no atarse nunca demasiado a una persona!

—¡Papá!

Black se mordió los labios.

—Perdona. Era una broma. Es que… si hubiéramos hablado antes, cuando tú intentabas descubrir el secreto de las puertas…

—¿Y qué otra cosa podía hacer? ¡Aquella llave era el único recuerdo que tenía de mamá!

—Claro, claro… la verdad…

—Y además… en realidad, yo te buscaba a ti. ¿No eres tú el que cogió todas las llaves y se las llevó lejos de aquí?

—Todas no. Faltaba la tuya… y la de Peter. Pero tenía razón Ulysses. —Black Vulcano se rascó ruidosamente la barba—. Estas llaves tienen vida propia —comentó—. Deciden a quién pertenecer y en qué cajones dejar que las encuentren.

Oblivia tamborileó nerviosamente sobre la mesa con las uñas que le quedaban.

—¿Y la famosa Primera Llave?

—No la he tenido nunca —respondió su padre sin pensar.

—No existe, entonces.

—Claro que existe.

Oblivia le lanzó una mirada fulminante.

—No estoy bromeando —dijo Black—. Aunque ya no nos lo creíamos… Leonard la ha encontrado. Después de veinte años.

Los ojos de la mujer despidieron un brillo feroz.

—¿Y dónde?

—No creo que sea momento de hablar de eso ahora.

Black dio dos veces la vuelta en torno a la mesa, con las manos detrás de la espalda.

—Bah. Después de todo, eres mi hija, ¿no?

—¿Dónde?

El hombre se apoyó en la mesa.

—Justo antes de que tú… aparecieras… Leonard estaba contando que la ha encontrado en el mar. Dice que su barca está todavía amarrada allí arriba. No he entendido si la había cogido ya o todavía no.

Oblivia se puso de pie como impulsada por un resorte.

—¿Y por qué no hacéis nada? ¿Habéis encontrado la Primera Llave y estáis aquí sentados discutiendo de tonterías? ¡Papá, la Primera Llave es lo más importante!

Black Vulcano le sonrió intentando parecer un buen padre.

—Ahora que te he encontrado, Oblivia…

—¡Vete al infierno! —bramó ella, dándole un empujón y precipitándose fuera de la cocina.

En el jardín de Villa Argo, Zan-Zan sollozaba sobre el patio de madera. Julia echó una ojeada a través de las ventanas de la casa de Nestor. Dentro no había nadie. Las luces estaban apagadas.

Dio la vuelta a toda la casa. Luego acercó la mano a la puerta y le dio un ligero empujón. Estaba abierta.

Julia entró titubeante en la habitación de Nestor. Encendió la luz.

Al observar la posición de las sillas, intuyó que poco tiempo antes debía de haber tenido lugar allí una animada discusión. Vio un reloj abandonado en la mesa. Era un reloj de submarinista, con la lechuza y la firma de Peter Dedalus.

—¿Rick? —murmuró, apretando el reloj contra sí. Pero en aquel objeto no percibió rastro del muchacho pelirrojo.

Julia dio unas cuantas vueltas por la habitación con el suelo de madera, intentando adivinar en qué silla se había sentado Rick. Fue hasta el sofá del fondo, en cuyos cojines podía verse aún la huella de un cuerpo dormido.

El escritorio de Nestor. Sus cosas estaban ordenadas con cuidado, excepto el borde de un papel que sobresalía del baúl situado en el suelo.

Picada por la curiosidad, Julia se acercó y levantó la tapa: el trozo de papel pertenecía a un enorme plano enrollado en el que estaban reproducidas las grutas del pueblo. La muchacha lo sacó y descubrió debajo un lienzo también enrollado.

Cuando reconoció el rostro de Ulysses Moore, sintió que las fuerzas le flaqueaban.

—¿Nestor? —preguntó en voz alta.

Y, como por encanto, las piezas de la historia que faltaban encajaron en su sitio: Nestor, que conocía todos los secretos de Kilmore Cove, que sabía siempre qué libro de la biblioteca aconsejar, que los llevaba a la buhardilla, al estudio de Penelope... o sea, ¡de su mujer! Nestor, que volvía a poner en orden los muebles de la casa si alguien osaba cambiarlos de sitio. Nestor, que vivía en el jardín, con tal de no abandonar el lugar en el que había pasado toda su vida. Nestor, que escondía el retrato de Ulysses para que nadie lo descubriera.

Bajo el retrato, había unos cuadernos. Viejos cuadernos. Y en todas las portadas, el nombre de Ulysses Moore.

Los abrió.

Estaban escritos a mano, como un largo diario, con una caligrafía difícil de entender. Mejor dicho, era imposible leerlos. Estaban escritos en clave o en una de esas lenguas para las que servía el *Diccionario de las lenguas olvidadas*.

Julia sacó algunos. Los ojeó rápidamente. En clave. En clave. Todos en clave. Y, además, había dibujos, muchísimos dibujos.

Abrió el último. Y vio el retrato de Rick.

Abrió el penúltimo. Eran Jason y ella, retratados en la hoja de una agenda.

Empezó a colocar frenéticamente los diarios uno cerca del otro, intentando entender por los dibujos de qué hablaban.

Era la historia de Villa Argo.

Julia levantó la cabeza al darse cuenta de lo fuerte que le latía el corazón.

Después oyó un portazo en la cocina. Oblivia gritaba algo. Black Vulcano exclamaba:

—¡Quieta! ¿Qué quieres hacer?

Pasos en la grava. La puerta de un coche que se abría y se cerraba.

Julia salió corriendo fuera de la casa.

Demasiado tarde.

Oblivia Newton había puesto en marcha el coche de su padre y se había ido zumbando, en medio de una nube de grava.

Capítulo (20)
- El Señor de las Galerías -

A Jason lo retenían en el claustro decenas de pequeñas manos y, mientras algunas de ellas le tapaban la boca, unas voces en torno a él no cesaban de repetir:

—¡Hemos atrapado al muchacho, pero el soldado ha escapado! ¡Dejadlo marchar! ¡Seguidlo! ¡No, no lo sigáis!

El muchacho intentó inútilmente liberarse. Solo logró ver los pies descalzos de una veintena de ladronzuelos, todos vestidos con ropas oscuras y malolientes.

—¡Dejadme ver! —exclamó una voz que destacaba entre las otras.

Después alguien puso a Jason boca arriba y le levantó la cabeza: le taparon la boca con un pañuelo hediondo y el muchacho se encontró cara a cara con un viejecillo de mirada de rana.

Este último lo miró de arriba abajo como si lo conociera y después les dijo a los otros:

—Es él. Es el hermano de Julia.

Al oír el nombre de su hermana gemela, Jason intentó soltarse de nuevo, pero las manos que lo sujetaban, a pesar de ser escurridizas y untuosas, no le dejaban la más mínima posibilidad de movimiento.

Sintió unas cuerdas que se enrollaban en torno a él y después se encontró tendido en el suelo. Lo arrastraron sobre la grava y luego lo levantaron en horizontal colgado de un palo. Como una longaniza.

—¿Cabrá? —se preguntaron algunas voces.

—¡Claro!

—Yo creo que no.

—Está gordo como un cerdito.

Jason sintió que lo tocaban muchas manos, mientras las voces seguían gritando pareceres discordantes.

El grupito se dirigió hacia el sumidero de agua de lluvia del claustro. Uno a uno los pequeños ladrones se metieron dentro; después empujaron a Jason, quien desde ese momento no vio prácticamente nada más.

Jason se dio cuenta de que bajaba y se deslizaba, sujeto y empujado por el palo al que estaba atado, a través de pasadizos angostos y angulosos. Zarandeado de esta manera, acabó por perder el conocimiento.

Cuando volvió a abrir los ojos se encontraba en una habitación débilmente iluminada. Un delicado olor a incienso flotaba en el aire humeante. Jason se puso de pie de un salto, dejando al descubierto un suelo tapizado de alfombras y cojines. La cabeza le latía y el chichón que se había hecho en el laboratorio le dolía mucho.

Corrió a la única ventana y miró a través de sus barrotes adornados con arabescos. Desde allí pudo contemplar cómo se cernían en torno a él amenazadores edificios grotescos y oscuros.

La puerta de la habitación se abrió a sus espaldas y entró un viejecillo aseado y limpio.

—Hola —dijo, levantando la palma de la mano.

—¿Y tú quién eres? —le preguntó Jason.

—Me llamo Rigoberto —respondió él—. Sígueme, por favor… —le ordenó, acompañándolo fuera.

Jason se tocó los bolsillos y comprobó horrorizado que los habían dejado vacíos:

—¡Mis llaves! ¡Y mi dinero!

—Por favor, sígueme. Se lo hemos entregado todo a nuestro señor —se limitó a decirle Rigoberto, caminando delante de él.

—¿Vuestro señor?

—El Canónigo de las Galerías, Señor de los Ladrones de las Alcantarillas.

El pasadizo era lo más distinto de una alcantarilla que se pudiera imaginar. Tenía un delicado color malva y emanaba un perfume igualmente delicado.

—¿Se puede saber por qué me habéis capturado? —preguntó Jason, siguiendo al viejo.

—Tu hermana ha desaparecido detrás de una puerta que no se puede abrir —respondió Rigoberto—. Y tú querías pasar por la misma puerta. Creo que esto te convierte en una persona importante.

—¡Os equivocáis! —gimió Jason.

—Por favor —anunció Rigoberto, deteniéndose bajo una enorme bóveda con forma de arco y señalándole la habitación que se abría al otro lado—. El Señor de las Galerías te está esperando.

Y Jason entró.

Era una habitación alargada y de color azul celeste. Azul el suelo, las cortinas ricamente tejidas, los tapices que colgaban de las paredes.

El Señor de las Galerías estaba en un trono situado enfrente de la entrada: una especie de mesita baja de tipo oriental, sobre la cual el hombre permanecía sentado con las piernas cruzadas.

Jason se acercó con prudencia.

—Hola —lo saludó el Canónigo de las Galerías—. He aquí el responsable de mi noche en vela —continuó con una pizca de burla en la voz.

—Creo que se trata de un error… —dijo Jason, poniéndose a la defensiva. Se acercó hasta que logró distinguir un batín azul brillante y, sucesivamente, el rostro de un chico de su edad.

Se quedó mirándolo con la boca abierta.

—¿Qué error, joven extranjero?

Jason intentó adivinar si el muchacho le estaba tomando el pelo o no.

—Yo… creo que no soy mucho más joven que tú —saltó.

El muchacho empezó a reír.

—¡Oh, no, no! ¡Te equivocas! Soy mucho más viejo. Mucho más. De verdad. Pero no me preguntes cuánto, porque no me acuerdo. Si quieres podemos ir a echar un vistazo juntos. —Y le indicó una de las salidas.

Después, visto que Jason no contestaba, le mostró una

serie de objetos alineados en una mesita situada junto al trono.

—Esas deben de ser tus cosas. Cógelas, si quieres.

Jason no se lo hizo repetir dos veces: cogió las cuatro llaves y se las metió en el bolsillo.

—¿Por qué me has traído hasta aquí?

El muchacho vestido de azul celeste bajó del trono.

—¿Por qué? Porque tu historia ha despertado mi curiosidad. He sabido de tu hermana y del modo en que ha traspasado una puerta que no se consigue abrir. Una puerta que mis hombres no han sabido abrir. Y que ni siquiera Balthazar, creo, sabría abrir.

—¿Conoces a Balthazar?

El Canónigo de las Galerías se quedó un momento pensativo.

—¿Balthazar he dicho? Entonces quiere decir que lo conozco. Creo que sí. Balthazar. ¡Bah! Con la juventud se olvidan un montón de cosas. Por este motivo yo… me lo apunto siempre todo. Ven conmigo, joven extranjero. Y explícame eso de la puerta que no se abre…

El muchacho le abrió camino por un largo pasillo y después por una escalera en la que ardían miles de velas. Pasada esta, se encontraron en una sala pentagonal, con cinco salidas que conducían a sendas habitaciones.

La sala central rebosaba de rollos de papel llenos de frases escritas en vertical. Los rollos estaban apilados uno sobre otro y ordenados según secuencias de números incompren-

sibles. Algunos, todavía sin acabar, estaban desenrollados sobre enormes mesas de madera. Un ingenioso techo de espejos inclinados dejaba entrar la luz de las velas que estaban encendidas en las cinco habitaciones laterales.

Este es mi escritorio y estas son mis memorias —explicó el Canónigo de las Galerías, señalándole a Jason los miles de rollos—. Y precisamente porque me lo apunto todo de manera muy ordenada, me he acordado de que, hace ya tiempo, cuando visité la fuente de la eterna juventud, encontré allí cerca otra puerta que era imposible abrir... —El muchacho examinó rápidamente uno de sus registros y después, leyendo una anotación vertical, añadió—: Aquí está. Justo al lado de la fuente, en una casita de piedra. Una puerta idéntica a las otras puertas del castillo, pero que no se puede abrir. ¿Sabes algo de esto?

—No sé de qué estás hablando. No sé quién eres, ni dónde me encuentro, ni por qué estoy aquí —respondió Jason exasperado.

—El porqué ya te lo he explicado. Quién soy yo... depende de la puerta de salida que elija. Si salgo por aquella parte... soy el Canónigo de las Galerías, Señor de los Ladrones de las Alcantarillas. Por ese lado, sin embargo, me convierto en el Abad Tragaluz, de los Astutos de los Tejados... que son las dos cosas más divertidas que hago. Y si salgo por allí, me toca ser el Preste Juan.

—¿Tú eres el Preste Juan? —preguntó Jason desconcertado.

—El mismo —sonrió el muchacho vestido de azul celeste—. ¿Por qué? ¿Me conoces?

—Pero si… ¡eres una persona importante!

—Deduzco que no te interesa saber qué hay en los otros dos pasillos… —dijo el otro frunciendo el ceño.

—No puedes ser tú: ¡eres solo un chiquillo!

—Perdona, pero ¿para qué crees que sirve exactamente la fuente de la eterna juventud?

Calypso acercó el oído a la puerta de la trastienda de la librería y cerró los ojos.

No oía ya ninguna llamada. Pasó la palma de la mano por la madera, dulcemente, como acariciándola, mientras una triste melancolía se apoderaba de ella. La puerta de la ballena estaba de nuevo muda.

—La han encontrado… —dijo, como si estuviera hablando con alguien escondido al otro lado—. Han encontrado la llave. ¿Y ahora qué hacemos?

Si había de verdad alguien al otro lado de la puerta, no podía responder. Y Calypso no podía atravesarla. Sin la llave con la ballena, aquella puerta no se podía abrir. Ni romper, ni destruir. Era una Puerta del Tiempo.

Y, no obstante, en el silencio que venía de la madera y en la infinita oscuridad que escondía, Calypso captó algo, una respuesta, un susurro, un lejano canto submarino. Apoyó la cara en la puerta y dijo:

—¿Qué sentido tiene ya seguir vigilando? Han encontrado la llave. Vete. Vuelve a las profundidades. Vete.

—No me iré —respondió una voz a sus espaldas.

Calypso pegó un grito.

Cuando se dio la vuelta, vio delante de ella a Leonard Minaxo. Había entrado en la librería y la campanilla de la entrada no había sonado. Algo que solo él sabía hacer.

Se encontraba allí, a pocos pasos.

Y la había sorprendido.

—Leonard… —consiguió balbucear Calypso.

Él se acercó en dos zancadas y repitió:

—No me iré.

Y, sin dejarle tiempo para detener el ritmo de su corazón asustado, o hablar o respirar, Leonard Minaxo la abrazó, la alzó dulcemente del suelo y la besó como siempre había querido besarla.

Calypso intentó rechazarlo, pero fue cuestión de un instante, de un abrir y cerrar de ojos, de un secreto que no tenía necesidad de seguir existiendo.

Sorprendida pero feliz, la bibliotecaria se rindió ante aquel beso y aquel abrazo, se abandonó, se dejó acunar y proteger.

—No podemos, Leonard… —le susurró después al oído—. Yo soy una cons…

—Sé quién eres —respondió él, con la mejilla en su mejilla.

Calypso miró el escaparate de su librería, la plazoleta con la fuente y la oficina de correos en el lado opuesto.

Leonard miró la Puerta del Tiempo, situada a espaldas de Calypso.

Ahora estaba seguro de que ella conocía esas puertas mejor que nadie.

—Tengo que decirte una cosa… —susurró la mujer.

—Ya me la dirás —respondió el guardián del faro, besándola una vez más.

Estaban envueltos por una oscuridad cálida sobre la que velaban los misterios , los amores y los héroes ordenados en los estantes. Y, mientras se abrazaban, por la rendija de la puerta situada a sus espaldas, lentamente, entró un reguero de agua marina.

CORNWALL

Capítulo (21)
- El campo de
las luciérnagas -

anfred aferró a Dagoberto por un hombro.

—Espera… espera… —le dijo. Examinaron las indicaciones que había en el cuaderno de Ulysses Moore y después los nombres escritos en las placas de latón—. Si aquella es la Avenida de la Herrumbre, entonces tenemos que girar a la izquierda…

—A la derecha —lo corrigió el chico, girando el cuaderno—. Si nosotros estamos aquí…

Manfred probó a seguir el razonamiento del joven ladrón. Después, al segundo intento, se desanimó y se limitó a ponerse hecho una furia.

—¡Esa cosa es incomprensible! —gruñó—. ¡Y este sitio da asco!

—Lo han proyectado así —se justificó Dagoberto—. Entonces, ¿hacemos lo que digo yo?

—Bueno, vale —respondió Manfred, mascullando detrás de él.

La luna había empezado ya a ocultarse y los perfiles de la ciudadela se alargaban amenazadores. Los dos caminaban a paso sostenido y, después de pasar al pie de una de las grandes torres que se divisaban desde todos los rincones de aquel laberinto, llegaron a una especie de altiplano. Pasada la Avenida de la Herrumbre, las murallas dejaban espacio a patios más amplios, a árboles y jardines donde la mirada podía relajarse sin quedar sofocada por edificios y tejados pegados los unos a los otros.

Una enorme nube cubrió la luna, arropando con un manto negro la ciudadela, pero ni el joven ladrón ni el experto delincuente aminoraron la marcha, convencidos como estaban de encontrarse cerca de la meta.

Cuando la nube desapareció del disco blanco de la luna, Dagoberto se detuvo en un pequeño patio anónimo situado junto a la roca de la montaña y flanqueado por un edificio bajo de piedras sin labrar.

—Es aquel —dijo, cerrando finalmente el cuaderno.

Oyeron el relincho de un caballo y un ruido de cascos que golpeaban nerviosamente contra el suelo. Era una cuadra: montañas de heno formaban gigantescas gavillas que se apoyaban en los muros y unos carros abandonados aquí y allá conferían al lugar que habían buscado con tanto ahínco un aire decididamente decadente.

Manfred no hizo ningún comentario. Pasaron una empalizada de madera y entraron en la cuadra. En un lado había un abrevadero, que Dagoberto analizó con expresión preocupada:

—No puede ser esto…

Manfred buscaba una puerta. La encontró, la abrió y entró. Salió poco después asqueado.

—No es esta. ¡Puaj! ¡Hay solo bichos! —comentó.

Los dos llegaron a la roca. Estaba bordeada por un pequeño sendero que se alejaba de los establos. Decidieron seguirlo.

El sendero ascendía y bajaba como las dunas del desierto. Se adentraron en un bosquecillo, del que salieron al poco tiempo.

Y fue Dagoberto el primero que las vio.

Luego las vio también Manfred.

Justo al salir del bosquecillo, el aire estaba saturado de luciérnagas.

El pequeño sendero llevaba a una caseta de piedra en torno a la cual las luciérnagas se arremolinaban como enloquecidas. La hierba era alta y fresca y miles de grillos cantaban. La belleza de aquel lugar impresionó incluso el ánimo rudo de Manfred, que abrió las manos de par en par para acariciar las luciérnagas.

Y, muy a su pesar, esbozó una sonrisa.

La caseta parecía deshabitada. Pero delante había un viejo trono, en el que quizá se había sentado alguien. La entrada no tenía puerta y conducía a una única habitación, pequeña, donde había varios estantes de madera alineados. En cada estante, en unos recipientes todos ellos del mismo material, había unas bolitas de creta.

Manfred cogió una entre los dedos, la partió y, al ver salir de ella a una luciérnaga, se quedó sorprendido. El hombre y el muchacho permanecieron en silencio, mirando a su alrededor. El castillo quedaba oculto por la roca que acababan de bordear y el altiplano que se extendía ante ellos parecía huir en una fuga que cortaba el aliento. Los prados que había en torno a la casa de piedra eran oscuros mantos pespunteados de flores recién con nacidas, con las corolas cerradas por la noche. Las luciérnagas daban vueltas por doquier, confundiéndose con las estrellas.

Y el único ruido que se oía era el de un surtidor, proveniente de una fuentecilla situada en la parte trasera de la casa.

Los dos siguieron aquel sonido, mientras la hierba crujía bajo sus pies.

Encontraron un pequeño muro en el cual se apoyaba una puerta torcida y medio canalón de madera del que goteaba un reguero de agua clarísima. Este se ensanchaba después hasta convertirse en una poza y perderse entre la hierba.

Dagoberto se agachó y tocó el agua con los dedos: estaba fresca. Manfred agarró la puerta torcida e intentó abrirla.

Dagoberto probó el agua con la punta de la lengua. Era punzante como un alfiler. Miró a su alrededor.

Manfred había desaparecido.

«Qué raro», pensó. Tenía la impresión de que había llegado hasta allí acompañado de otra persona.

—¡Eh! —saltó el hombre.

—¡Eh! —respondió el esbirro de Oblivia asustado.

En cuanto la puerta se cerró tras de sí, Manfred se dio cuenta de que estaba en un tren iluminado como si fuera de día.

—¡No te muevas! —le ordenó el hombre. Y empezó a trajinar con un frasco de cristal verde.

—¿Quién eres, el revisor?

El hombre alzó la mirada y Manfred lo reconoció: era el tipo que había conocido en la posada hacía un par de días. El primo del mecánico. Ese que estaba un poco chalado.

—¿Fred Nosequé? —le preguntó, alargando el brazo que sostenía la alabarda.

Fred Duermevela dejó por un momento de trajinar con la ampolla de alquimista.

—¿Nos conocemos? —preguntó al soldado medieval.

Manfred rompió a reír y se quitó rápidamente el yelmo, arrojándolo al suelo.

—¡Pues claro! ¿No te acuerdas de mí?

Fred guiñó primero un ojo, después el otro y, por último, levantó el índice de la mano derecha en señal de triunfo.

—Que me parta un… ¿Eres el tipo del dune buggy? ¡El que buscaba unos neumáticos para la moto!

—¡El mismo! —rió Manfred.

En un arrebato de felicidad, los dos se abrazaron. Después, ya metidos de nuevo en sus respectivos papeles, empezaron a hacerse un montón de preguntas.

—Pero ¿qué haces tú aquí? —empezó Manfred—. Por cierto, que no sé siquiera dónde estoy.

Fred se las dio de enterado.

—Me han dicho que tenía que vigilar esa puerta, porque podía salir alguien. Una mujer…

—Pues te ha ido mal —bromeó, mirando fuera de la locomotora. Vio numerosas estalactitas y estalagmitas, y también una procesión de pálidas farolas–. Pero ¿se puede saber dónde estamos? ¿En una gruta?

–Exacto –respondió Fred, como si una locomotora en una gruta fuera lo más normal del mundo.

–En Kilmore Cove, espero –murmuró Manfred, venciendo un escalofrío.

–No exactamente –respondió Fred.

El esbirro de Oblivia dio un violentísimo puñetazo contra la pared de la locomotora.

–¿Cómo que no? ¿Y dónde, entonces?

La ampolla de cristal verde saltó de entre las manos de Fred Duermevela y casi se abrió. Fred la recuperó y balbuceó asustado:

–E-e-estamos a varios kilómetros de Kilmore Cove…

La rabia desapareció de golpe del rostro de Manfred.

–Ajá –dijo. Y después una vez más–: Ajá.

Al final los «ajá» se convirtieron en una nueva, enorme carcajada. Manfred volvió a abrazar a Fred y después se frotó las manos satisfecho.

–Lo he conseguido. Muy bien, jovencito. Tenías razón.

Paseó arriba y abajo por la locomotora y observó las palancas de los mandos que se distinguían una de otra mediante símbolos y dibujos.

–Pero ¿este trasto funciona? –se informó, jugueteando con una palanca.

–¡Pues claro que funciona! –respondió Fred–. ¡Va como una flecha! Por poco no me mata esta tarde.

—¿Y tú sabes ponerlo en marcha?

Fred se rascó la cabeza, pensativo.

—Ah, no… eso no. Yo no lo he conducido nunca. Eso habría que pedírselo a Black.

—¿Y Black dónde está?

—En Villa Argo.

—Lejos, entonces.

—Oh, sí… por lo menos a veinte minutos andando. —La mirada apagada de Fred se encendió por un instante—. O si no, podemos decírselo a uno de esos chicos. Ellos también saben conducirlo.

Manfred sonrió de medio lado, con auténtica admiración.

—Chicos, ¿eh?

Estaba claro que al principio de aquella historia él se había puesto de la parte equivocada. Pero ahora tenía intención de arreglarlo. Apretó en el bolsillo las llaves del gato y del león.

—Oye —le propuso a Fred—, ¿te importa si intento mover esta palanca?

—Por mí… —sonrió Fred—. Basta que no…

La frase se le quedó en la garganta, bloqueada por la velocidad con la cual la locomotora Clio había salido disparada de repente hacia delante. El mismo Manfred se encontró con las piernas por los aires, mientras el tren volaba sobre los raíles en dirección a Kilmore Cove.

A cuatro kilómetros de distancia, en una acera determinada de Kilmore Cove, todo estaba inmóvil. En aquella tarde especial, donde las horas parecían haberse quedado encajadas en el gran reloj del mundo, Ursus Marriet caminaba inquieto.

Había salido de la escuela entrada la noche, después de revisar las fotografías de Walter Gatz. Armado de su proverbial meticulosidad, había ido de caza en el tiempo, destapando un archivo de viejas imágenes y retratos.

Y gracias al material que había encontrado, el director había reconstruido los eslabones que faltaban. En particular, conocía la identidad de aquel Nestor que aparecía en la vieja foto de clase y que, ahora lo sabía, estaba presente también en la fotografía medio chamuscada que retrataba a Dedalus y Minaxo delante del faro.

El director se prometió que al día siguiente pediría información a Fred Duermevela. «Y también a la maestra Stella», pensó, esbozando una sonrisa.

Silbando por lo bajo, el viejo Ursus, que había renunciado ya a dejar su impronta en la historia, dejó a su espalda el único hotel del pueblo y se dirigió, con presuntuosa indiferencia, hacia el pequeño puerto.

Caminaba en completa soledad, pero imaginaba que alguien lo observaba. Y por esa razón se movía así, como si una invisible bandada de admiradores estuviera a punto de darle una sorpresa y entregarle el tan merecido premio Nobel de Enseñanza.

–Je, je… –rió complacido por aquella ocurrencia.

Llegado al primer muelle del puerto, el director se percató de algo insólito: una mujer con un vestido de flores largo corría entre las embarcaciones atracadas allí.

Estaba iluminada por los dos haces de luz de un automóvil cruzado encima de la acera.

–¿Un accidente? –se preguntó sorprendido.

Aparte de él y la mujer que corría entre los barcos, no le parecía que hubiera nadie más. La taberna había cerrado ya sus puertas y las luces estaban apagadas.

Ursus Marriet observó el extraño frenesí con el que aquella mujer pasaba de una embarcación a otra, como buscando algo concreto.

–Ursus… –se dijo–. No es asunto tuyo.

Se dio la vuelta. Dio unos pasos en la dirección opuesta, pero era demasiado tarde: lo habían cazado. Miró de nuevo el coche con los faros encendidos. Miró después a la mujer sobre el muelle. Estaba parada delante de un pequeño fueraborda.

–¿Qué estará haciendo? –se preguntó el director, fascinado por aquel misterio.

El quisquilloso, metódico, invisible Ursus Marriet volvió sobre sus pasos. La oyó exclamar algo y comprendió que necesitaba ayuda. ¿Y quién podía prestársela sino él? A lo mejor había sido el destino el que había hecho que se quedara todo el día y toda la tarde hojeando las fotos y que pasara después por allí. Para prestar auxilio a una fascinante señora con un vestido de flores.

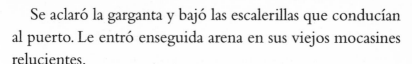

Se aclaró la garganta y bajó las escalerillas que conducían al puerto. Le entró enseguida arena en sus viejos mocasines relucientes.

–Ejem… –empezó, plantándose al lado del fueraborda–. ¿Puedo ayudarla?

Oblivia Newton levantó de golpe el rostro jadeante.

«Fascinante», pensó Ursus Marriet.

Miró a aquel hombre de arriba abajo una décima de segundo…

«Fascinante», pensó de nuevo Ursus Marriet.

Y al final le preguntó, señalándole el motor.

–¿Sabe usted encender uno de esos trastos?

El director se puso rígido. Miró a la mujer, el fueraborda y el mar oscuro como la tinta.

–Perdone, ¿qué quiere decir?

Oblivia se detuvo a pocos centímetros de la nariz del director. El hombre olía a tinta y a tiza.

–Quiero decir que tengo que ir inmediatamente a buscar una barca que está en alta mar. Y yo no sé cómo usar estos cacharros. Así que por eso le he preguntado si sabía usted hacerlo.

La mujer olía a talco y a jabón.

–Claro –respondió el director.

–Pues adelante, entonces.

–Como usted diga. –Ursus Marriet subió a bordo y se dirigió tambaleándose hacia el motor–. Pero tengo que advertirle que no es seguro salir al mar de noche.

—Hay solo una cosa segura en este mundo… —le respondió Oblivia, arrojando en la lancha las amarras.

—¿Qué? —preguntó el director, arreglándose la chaqueta.

—Que la Primera Llave será mía.

En una casa poco lejos de allí, Rick, Nestor y el padre Phoenix habían inspeccionado todos los cajones sin encontrar ni rastro de la Primera Llave.

Después Rick, al ver que su madre no había vuelto todavía, intentó volver a llamar por teléfono a Villa Argo.

Estaba a punto de colgar cuando le respondió Julia.

Al reconocer su voz, Rick sintió la boca seca en el acto. Pero, al mismo tiempo, el corazón liberó azúcar en todas sus venas.

—¡Julia! —gritó, tan feliz que no podía contenerse.

En la cocina, Nestor se levantó de golpe de la silla.

—¡Ha vuelto!

—¡Rick! —exclamó a su vez Julia—. ¿Eres… estás bien?

—¡Yo sí! ¿Y tú? ¿Y Jason?

—¡Jason sigue allí! ¡Y hemos perdido todas las llaves! Yo… yo he vuelto con Oblivia.

—¡Las llaves! ¿Oblivia?

Siguieron una serie de explicaciones acaloradas.

—Estoy contento de que estés aquí. He descubierto algo que tienes que saber ya. Ulysses Moore en realidad es…

—¡Nestor! ¡Lo sé, Rick! —respondió Julia—. Pero tú no sabes que… ¡Oblivia es la hija de Black Vulcano!

—¿Cómo?

Siguieron una serie de explicaciones aún más acaloradas, al término de las cuales Nestor se dio la vuelta hacia el padre Phoenix.

—Pero ¿tú lo sabías? —le preguntó.

El padre Phoenix le concedió una sonrisa a medias como respuesta:

—¡Ah… es posible, sí!

Julia, mientras tanto, seguía hablando:

—Oblivia ha cogido el coche de mis padres para bajar al pueblo y Black ha dormido a mamá y a papá y a una tercera mujer.

—¿Una mujer? ¿Cómo es?

Y así Rick descubrió dónde estaba su madre.

—¡Pregúntale dónde ha puesto la Primera Llave! —intervino Nestor.

—Está durmiendo —le respondió Rick.

Más explicaciones.

—No te muevas de ahí, Julia. Vamos enseguida.

Nestor, Rick y el padre Phoenix se precipitaron a la calle corriendo. Y mientras estaban decidiendo qué hacer, oyeron un tintineo lejano que venía de la Clark Beamish Station, a pocos pasos de allí, seguido de un estruendo que con los años habían olvidado.

—¡El tren! —gritó Rick el primero.

Capítulo (22)
- En busca de la
eterna juventud -

Sentada en la sección de caballeros de su peluquería, Gwendaline estaba sollozando al teléfono.

—No lo entiendes, mamá… —repitió por enésima vez—. Ya sé que es tarde, pero no puedo dormir. ¡No puedo! En cuanto cierro los ojos, veo aquella playa y… —Gwendaline sorbió con la nariz. Fuera de la vitrina, pasada la puerta con las cortinas de plástico, oyó un chirrido—. Espera un momentito, mamá… Perdona. Me parece que hay algo fuera de la peluquería. No, no está abierta. ¡Es de noche! ¡Pues claro que es de noche también aquí! Un momento…

La joven peluquera apoyó el auricular del teléfono en el mostrador, fue hasta la puerta de la peluquería y echó una ojeada fuera.

—Oh, caramba —dijo.

Después volvió rápidamente al teléfono.

—Mamá… —susurró—. Ya sé que no te lo vas a creer, pero está aquí. Sí, sí. Estoy segura. Es solo que va vestido de un modo raro, como si fuera disfrazado. Parece uno de esos caballeros medievales, con armadura y lanza. Sí. ¡Un caballero de verdad, mamá! Y está aquí fuera. En este momento. ¡Te llamo más tarde!

Gwendaline volvió a la puerta y echó de nuevo una ojeada fuera, temiendo que lo que había visto un instante antes hubiera sido solo una alucinación.

Pero no se había equivocado. Manfred estaba allí y caminaba arriba y abajo delante de la peluquería. ¡E iba de verdad vestido como un soldado medieval!

—¿Qué es lo que estás tramando, apuesto caballero mío? —susurró la chica, espiándolo aún durante unos instantes.

Lo vio coger unas piedrecitas del suelo y lanzarlas contra la ventana de su apartamento. Como para despertarla.

«Es algo dulcísimo», pensó.

Pero cuando el tamaño de las piedras empezó a aumentar peligrosamente, Gwendaline salió de la peluquería.

—Hola —dijo en el aire burbujeante de la noche.

Manfred dejó caer al suelo todas las piedrecitas.

—¡Eh! —dijo. Y después añadió—: ¡Uau!

Gwendaline había salido en camisón.

—¿Qué haces tú aquí? —le preguntó.

Manfred señaló la cota de malla y las botas:

—He venido a recoger mi ropa.

Al oír esto, Gwendaline rompió a reír nerviosa. Muy nerviosa. —¿A recoger tu ropa? Claro, claro… Tienes razón. Está arriba, en casa.

—Lo sé —respondió Manfred, gruñendo.

La chica se mordió los labios y después movió la cabeza. A saber qué se había imaginado…

—Si esperas un momento… te abro.

—Vale —dijo Manfred.

La peluquera volvió a entrar, cruzó la peluquería y abrió la puerta que conducía a su apartamento.

—Creía que no volverías… —comentó, abriéndole paso por las escaleras.

—Yo también —respondió Manfred.

Una vez arriba, el esbirro de Oblivia fue al sofá en el que había pasado la noche y cogió la ropa que había dejado allí el día anterior.

—¿Puedo cambiarme aquí?

—Ah… sí… claro… —le respondió ella, dejándolo solo.

Se refugió en la cocina, apretó el botón «R» y esperó a que sonara. Sonó solo una vez:

—Hola, mamá. No. Nada de particular. Era solo que se había dejado olvidada… una camiseta. Sí… creo que se está marchando.

Manfred apareció en el umbral de la puerta de la cocina. Su cicatriz brillaba con una fascinación misteriosa. Su mirada cansada era la mirada de quien había vivido innumerables aventuras.

—¿Quieres huir conmigo? —le espetó a Gwendaline.

Ella apretó con fuerza el auricular y balbuceó:

—E-e-espera un momentito, mamá… Ahora t-t-te llamo… —Y colgó.

Manfred seguía inmóvil en el umbral de la puerta.

—Perdona, ¿qué has dicho? —murmuró la chica.

—Te he preguntado si quieres huir conmigo.

—¿Huir? ¿Y adónde? ¿A Zennor? —bromeó Gwendaline, diciendo el nombre del sitio más lejano que conocía, a pocos kilómetros de allí.

—Puedes elegir: o Egipto o Venecia —respondió Manfred, alzando alternativamente la llave del león y la del gato.

Gwendaline abrió los ojos de par en par.

—Y… perdona… pero… ¿cuándo querrías huir exactamente?

—Dentro de cinco minutos —dijo Manfred—. ¿Qué prefieres?

Gwendaline se apoyó, incrédula, en el mueble color azul claro de la cocina.

—Yo… Egipto, creo.

—Perfecto. En ese caso puedes ir así vestida —explicó Manfred—. Está aquí cerca. Y creo que hace calor ahí abajo.

Una vez decidido qué hacer, Nestor subió al sidecar para ir a Villa Argo, mientras Rick y el padre Phoenix se dirigían a grandes zancadas hacia la estación.

Cuando llegaron, encontraron la locomotora de Black Vulcano parada en el andén uno y a Fred Duermevela admirándola por fuera a la luz de las farolas.

—¡Fred!

—¡Padre!

—¡Rick!

Los saludos fueron muy breves. Fred les habló de Manfred y de cómo el hombre había salido disparado de la locomotora en cuanto se había parado.

—¡Caray! ¡Era como si fuera a perder el transbordo! —bromeó el funcionario.

El padre Phoenix y Rick se sentaron en el banco de la estación, mientras Fred se dirigía a casa bostezando.

—Qué nochecita —comentó Rick—. Creo que no la olvidaré nunca.

—Yo tampoco —asintió el sacerdote.

Esperaron.

En el cielo empezaba a clarear. Faltaban pocas horas para que amaneciera. Las primeras estrellas del horizonte habían palidecido ya cuando el zumbido del sidecar de Nestor anunció su regreso. Llegó zumbando desde Villa Argo, en compañía de Zan-Zan y también un tanque para el agua.

—¡No tenemos ni un minuto que perder! —exclamó, mostrándoles a Rick y al padre Phoenix la llave del caballo que había recuperado de entre las de Black—. ¿El tren está en la estación?

—Sí.

—Entonces vamos —dijo el jardinero, mientras caminaba cojeando hacia el andén.

—¿Vamos… todos? —preguntó Rick, lanzando una mirada preocupada a Zan-Zan.

—La señora quiere volver a casa… —explicó Nestor—. Y esto facilita las cosas. Digamos que… ha tenido algunas divergencias de opinión con Black.

—¡Una hija! —exclamó la joven china, turbada.

Subieron los cuatro a la Clio 1974. Nestor introdujo la llave del caballo en la cerradura y abrió la Puerta del Tiempo situada al fondo del vagón. Uno tras otro, fueron entrando.

—Lo cómodo de ser el jefe de este reino y de sus ladrones —estaba contando el Preste Juan— es que tienes todo bajo control y das trabajo a un montón de personas utilizando siempre los mismos recursos, que pasan de un lado a otro como en un círculo continuo, ¿entiendes?

Jason asintió.

—Cuando pensé en ello por primera vez, hace un centenar de años, me dije: ¡esta sí que es la solución del nudo gordiano! Ya sabes, aquel famoso nudo que nadie conseguía desatar hasta que… hasta que… Hummm… pero ¿quién se acuerda de cómo acababa? Espera que lo consulte en la sección de frases hechas. —El Preste Juan empezó a dar vueltas por la habitación, buscando entre millares de rollos, hasta encontrar el que le hacía falta—. Gordiano, aquí está. ¡Claro, qué tonto! Cuando le dijeron a Alejandro Magno que ese nudo no se podía desatar, él desenvainó su espada y lo cortó en dos. Simple y eficaz. ¿Por dónde íbamos?

—Me estabas hablando de la fuente de la eterna juventud.

—¡Ah, sí! La cuestión es que la fuente, como ves, funciona. Te devuelve la juventud en un abrir y cerrar de ojos. Pero tiene un pequeño defecto: hace que olvides buena parte de las cosas que habías aprendido. No todo, algunas cosas sueltas aquí y allá. Por lo que si no tomas nota de las

cosas importantes, cada vez que bebes y rejuveneces es como si volvieses a empezar de nuevo. Y eso, sinceramente, es un verdadero fastidio. Porque, además, no te olvidas de todo: tienes como recuerdos borrosos... Créeme: permanecer jóvenes de esta manera requiere un gran esfuerzo.

El Preste Juan señaló a Jason la mole de datos transcritos que había en torno a ellos. Después, a título explicativo, añadió:

—¿Ves esta sección? Contiene las historias más importantes del mundo, en mi opinión. Yo he olvidado por lo menos la mitad. Por ejemplo... ¿quién ha construido las pirámides? ¡Bah! Pero si me hace falta, lo tengo escrito. O bien: *El gran secreto de Century. Un pacto entre el hombre y la naturaleza que se renueva cada cien años* —leyó—. Parece interesante ¿no? A lo mejor hace cien años sabía exactamente lo que era, mientras que ahora... *tabula rasa*. Y aquí entramos de lleno en la cuestión: ¿ves estas líneas en blanco?

Jason hizo un gesto afirmativo.

—Aquí está. Aquí se habla de los «constructores de puertas». ¿Te suena?

—A lo mejor —admitió Jason.

—¡Ah, magnífico! Sabía que hacía bien hablando contigo. Escribí, quién sabe cuándo, que antiguamente en la Primera Ciudad se formó un grupo de artesanos conocidos como «los constructores», capaces de conectar dos lugares distantes entre sí con una simple puerta. Y su correspondiente llave. Su símbolo eran tres tortugas, porque la ciudad se encontraba en el mar, en una isla. Los animales. Bla bla bla. Hasta donde está escrito que también en mi jardín podría haber puertas de estas. Cuando lo descubrí, di orden de que ninguna de las puertas tuviese llave y mandé bandas de ladrones a abrirlas todas. Humm, aquí hay una nota que me remite a la lectura de por qué decidí dividir a los ladrones en Tejados y Alcantarillas, pero no creo que sea el caso de aburrirte con estas historias. El problema aquí son las líneas en blanco: cada vez que las veo, me doy cuenta de que el problema de estas puertas cerradas sigue sin estar resuelto—. El Preste Juan cerró el rollo y se puso a pasear por la habitación—. Y, además, esta noche llega Rigoberto con la noticia de una puerta que no se puede abrir. Y ¡paf! Apareces tú, con cuatro llaves con forma de animales. ¿Entiendes ahora mi interés?

Jason, a disgusto, descartó en una fracción de segundo un millar de posibles respuestas y al final decidió jugarse el todo por el todo:

—Me has descubierto —admitió.

—Ah, ¿de verdad?

—Sí.

—¿Y qué he descubierto?

—Yo soy un constructor de puertas.

—¡Magnífico! —gorjeó el muchacho vestido de azul claro—. Entonces, ¿me abrirás la puerta?

—Claro —prosiguió Jason.

—Estupendo. ¡Vamos corriendo al claustro!

Pero aquí Jason lo interrumpió:

—¡Ah, no! Tenemos que ir a la puerta que se encuentra cerca de la fuente de la eterna juventud.

El Preste Juan rió burlonamente:

—Je, je… Esta sí que es buena. ¿Y cómo?

—No lo sé. Eres tú quien se supone que conoce el camino —replicó Jason.

—Lo conocía, seguro… —respondió el chico—. Y muy bien, además. Pero, por alguna razón que ahora no recuerdo, ya no lo conozco. Y entre mis rollos no hay ninguna indicación.

—¿Quieres decir que no sabes dónde se encuentra tu fuente?

—Exacto.

Jason sintió un escalofrío en la espalda ante la idea del inestimable tesoro que le había entregado al ladrón de Dagoberto.

—¿Entiendes ahora mi problema? —continuó el Preste Juan, mostrándole a Jason otro rollo—. Aquí está escrito que le hablé de la fuente a un mercader veneciano llamado Ulysses Moore, experto dibujante. Pero justo después… ¡paf! Ya no he vuelto a hablar de ella. Y es así como la fuente ha desaparecido quién sabe dónde.

—¿Alguien sabe dónde estamos? —preguntó Rick en el gran prado donde brincaban las luciérnagas.

La luna había desaparecido ya detrás de la cuenca del mundo y, por el lado opuesto, como una rociada de azúcar glas, comenzaba a esparcirse la luz del alba.

–Tú no bebas esta agua –aconsejó Nestor a Rick, colocando bajo el chorro el tanque vacío–. Por ninguna razón.

–¿Por qué?

–Sirve solo para las flores –mintió el jardinero.

Rick no hizo preguntas. Se alejaron de la caseta de piedra, caminando por la hierba.

–¿No son maravilosas? –exclamó el padre Phoenix, observando las luciérnagas.

–Se parecen a las de la gruta de Villa Argo –comentó Rick.

–Son las de la gruta de Villa Argo –dijo Nestor, abriéndoles camino hasta el sendero y, desde allí, hasta el edificio con las cuadras. Cuando llegaron a él, Rick vio por primera vez la gran aglomeración de la ciudadela, con sus torres, murallas y laberintos infinitos.

–¡Oh, no! –gimió–. ¿Y ahora cómo encontramos a Jason?

Nestor movió la cabeza.

–Será él quien nos encuentre a nosotros.

Se dio la vuelta hacia Zan-Zan y le pidió que sacara de la mochila los fuegos artificiales.

Sobre la ciudadela brilló el primero de los fuegos, dibujando en el cielo una gran J de Jason.

Al oír el estruendo, Jason corrió a la ventana para mirar afuera.

–¡Me encantan los fuegos artificiales! –exclamó el Preste Juan, siguiéndolo.

Cuando se fijó en la letra, Jason intuyó enseguida que aquel fuego era para él.

–Son mis amigos –dijo. Y cuando el muchacho vestido de azul claro le preguntó quiénes eran sus amigos, mintió–: Los demás constructores de puertas.

Organizaron una pequeña expedición que, en menos de una hora, llegó hasta el lugar desde donde habían lanzado los fuegos artificiales.

–¡Jason!

–¡Rick!

–¡Nestor!

Gritaron los amigos al reconocerse.

–Preste Juan.

–Padre Phoenix.

Los demás se saludaron. Después de un relato veloz, el pequeño grupo recorrió hacia atrás el breve sendero, llegando hasta la casa de piedra situada en mitad del prado. Aquí, Nestor recuperó el tanque de agua, mientras Jason mostraba al Preste Juan el funcionamiento de la Puerta del Tiempo.

Después entraron todos, uno detrás de otro, cerrando la puerta a sus espaldas.

–Adiós, Preste Juan –se despidió Nestor, el último en pasar.

Y cerró la puerta tras de sí.

Al otro lado, el muchacho vestido de azul claro no consiguió volver a abrirla.

Capítulo (23)
- La mañana -

Finalmente, aquella larguísima noche había pasado.

Cuando se hizo de día, en Kilmore Cove empezaron a circular extraños rumores. El primero lo lanzaron los pescadores: alguien había robado la lancha motora del doctor Bowen.

El doctor lo confirmó: efectivamente, su P44 Doble Hélice había desaparecido del puerto.

La señora Bowen empezó a decir que era culpa de su marido, que tenía la costumbre de dejar las llaves dentro de la lancha, que robarla había sido un juego de niños.

Pero ¿quién podía haberlo hecho? Un extranjero, seguramente. Porque, además, el único que faltaba en el pueblo era Ursus Marriet. Pero aunque la idea de que el director hubiera robado un fueraborda para ir quién sabía dónde no resultaba creíble, después de esa noche ni la lancha ni el director volvieron a aparecer por Kilmore Cove.

En realidad, la de Ursus Marriet no fue la única desaparición misteriosa de aquella noche. Un corrillo de señoras agitadas se reunió en St Patrick Large, donde hasta el día antes ondeaban las cortinillas de Gwendaline Mainoff. La peluquera no aparecía y todas las señoras que llamaron a su madre para tener noticias suyas recibieron la misma respuesta misteriosa: «Mi hija ha huido con el hombre de su vida».

De todas esas señoras preocupadas, una lo estaba aún más: miss Biggles. La pobre corría por las calles del pueblo en busca de sus amados gatos: tenía los ojos fuera de sus órbitas y sostenía que en su casa había un enorme cocodrilo.

Una expedición de hombres fue a echar un vistazo: ningún cocodrilo, aunque, en efecto, en casa de miss Biggles los gatos habían desaparecido.

Todos excepto Cesare, que seguía encaramado en lo alto de una farola.

A media mañana, el *pick up* matrícula de Londres del arquitecto Homer de la Homer & Homer dejó el pueblo. Su marcha dio que hablar, dado que nadie había entendido qué es lo que había venido a hacer exactamente a Kilmore Cove el primer cliente (y único) del Windy Inn.

Mientras tanto, Villa Argo permanecía sentada, tranquila y serena, en la cima del acantilado.

En su interior, reinaba un extraño silencio. Los señores Covenant se habían despertado de los efectos del somnífero de Black Vulcano con unas ideas muy confusas sobre lo que había pasado.

El padre de los gemelos recordaba claramente que se había dado un baño y había bajado luego a buscar a los chicos, pero… justo después… nada. No recordaba nada más.

—A lo mejor has comido algo que estaba pasado… —sugirió Julia, aparentando interés.

Pero el señor Covenant estaba seguro de que no había probado bocado. Y, sobre todo, no conseguía entender por qué, durante aquella noche, había usado dos albornoces.

Su mujer, por su parte, recordaba que había cocinado. Pero no cómo había pasado el resto de la noche. Se había despertado en la cama, mitad vestida aún con la ropa de calle, mitad en pijama. Y, además, con un pijama que odiaba, como si alguien la hubiera desnudado y la hubiera metido en la cama.

Recordaba vagamente que estaba preocupada por los chicos, quienes a su vez aseguraban que no se habían movido de casa.

—Como máximo hemos ido hasta casa de Nestor —refirió Julia, siguiendo al pie de la letra el plan que habían diseñado todos juntos para volver a poner las cosas en su sitio.

El señor Covenant archivó la cuestión como una simple extrañeza, pero su mujer seguía mostrando una actitud recelosa.

—¡Mirad! —bramó, cuando fue a echar un vistazo en el armario—. ¡Mi vestido de flores ha desaparecido!

—A lo mejor te lo ha robado Jason… —bromeó Julia.

Su hermano, mientras tanto, después de haber sido repescado del Jardín del Preste Juan por la expedición compuesta por Rick, Nestor y el padre Phoenix, se había negado categóricamente a contar cómo había conseguido llegar hasta ellos y había dormido ininterrumpidamente durante dos días.

La señora Banner se despertó en su cama. Rick estaba en la cocina desayunando. La mujer parpadeó, intentó recordar lo que había pasado sin conseguirlo y se levantó.

—Hola, mamá —la saludó él, muy tranquilo.

—Hola, Rick —le respondió ella, pasando ante el espejo.

Se sirvió una taza de leche. Se disponía a beber un vaso de agua, cuando Rick se lo quitó de las manos con la velocidad de un rayo y lo tiró por el fregadero.

—¡No, eso no! —exclamó con una extraña sonrisa.

—¿Por qué no?

—Te veo muy bien —dijo Rick sin responderle—. Pareces más joven.

Patricia se miró en el espejo, esperando ver sus ojos hinchados y perennemente cansados. Sin embargo, se sorprendió al constatar que su hijo tenía razón: era verdad que parecía mucho más joven.

—¿No vas al cole hoy?

Rick movió la cabeza.

—Después de la desaparición del director, han suspendido las clases unos días.

—¿El director?

—¿No has oído los rumores?

Los rumores eran ya incontrolables.

Había quien juraba que había oído pasar el tren de nuevo y los pocos que se tomaron la molestia de ir a echar un vistazo vieron en la hierba de la estación las huellas de los neumáticos de un sidecar. Y, sobre todo, descubrieron que Black Vulcano había vuelto a vivir en la estación.

Después circuló otra noticia: había una vieja ballena varada a doce kilómetros al oeste de Kilmore Cove. Se había

arrastrado sobre la arena para dejarse morir. En todos los periódicos de Cornualles apareció la fotografía de su silueta enorme: era tan alta como la mitad del acantilado de Salton Cliff y sus ojos grandes y tristes eran los ojos de una criatura antigua. Numerosos voluntarios se reunieron en la playa para echar cubos de agua marina sobre el cuerpo de la ballena, mientras los pescadores organizaban una flotilla de barcas para intentar arrastrarla de nuevo hasta alta mar. Pero fue todo inútil.

La ballena respiraba cada vez más lentamente. Su piel se endurecía bajo el sol. Los latidos de su corazón eran imperceptibles. Muchos habitantes del pueblo, entre ellos los chicos, fueron a verla y acariciaron aquella piel áspera y callosa, susurrándole palabras dulces.

Cuando el animal murió, confiaron su cuerpo a un ballenero islandés llamado para la ocasión.

Entre las largas barbas de la ballena, incrustadas de conchas, encontraron el casco de una lancha motora: un fueraborda P44 Doble Hélice.

El sábado siguiente, el padre Phoenix puso en el tablón de anuncios de la iglesia de St Jacobs una hoja en blanco. Eran las amonestaciones del matrimonio entre Leonard Minaxo y la bibliotecaria Calypso.

Era una noticia sensacional, y en un abrir y cerrar de ojos acudieron todos en tropel a la librería como nunca había ocurrido antes. Cuando se enteraron de la noticia, Jason, Ju-

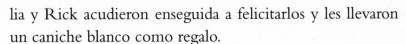

lia y Rick acudieron enseguida a felicitarlos y les llevaron un caniche blanco como regalo.

Calypso los llevó aparte y, esforzándose por mantener una expresión severa, les dijo:

—¿No pensaríais saliros con la vuestra tan fácilmente, verdad? Cuando os di las cuatro llaves, hicimos un trato: teníais una semana para leer un libro cada uno. Y la semana ya casi ha pasado. ¿Los habéis leído?

Jason, Julia y Rick huyeron a toda velocidad de la librería entre las risotadas generales.

Después sucedieron algunas pequeñas cosas más, que casi nadie notó.

Casi nadie.

Capítulo (24)
- La fotografía de clase -

El colegio estaba oscuro y silencioso, a excepción de un rumor estridente que venía del primer piso. Al fondo, en un aula que lleva cerrada mucho tiempo, chirriaba la manilla de una ventana. El cristal estaba roto y un alambre, introducido de través, estaba intentando enganchar la manilla. Alguien lo movía desde fuera para intentar abrir la ventana.

¡Crac!, se rindió finalmente la vieja ventana, abriéndose de golpe de par en par hacia dentro.

Una sombra oscura entró rodando en la clase. Cogió el alambre, escondió los añicos de cristal, cerró la ventana y se detuvo en el umbral del aula. Escuchó: silencio.

Miró a un lado y otro del pasillo, y solo cuando estuvo seguro de que no había nadie, se atrevió a ir más allá.

Era Jason.

Las zapatillas de deporte emitían pequeños gemidos sobre el suelo reluciente. Las puertas de las aulas estaban todas cerradas. Olía a desinfectante, a tiza y a tinta azul. Los dibujos de los niños de primer curso estaban colgados con chinchetas en las paredes. Las hileras de percheros estaban vacías, con la única excepción de algún abriguito olvidado quién sabe por quién.

Jason pasó por delante de los mapamundis y los incomprensibles pósters sobre los minerales de Gran Bretaña. Fue hasta las escaleras y resistió la tentación de deslizarse por la barandilla.

Bajó los escalones de dos en dos y se detuvo ante la puerta de entrada cerrada. Después se dió la vuelta y fue hasta una pequeña puerta situada allí al lado. Era el despacho del director. El nombre de Ursus Marriet destacaba desconsolado en el centro del cristal esmerilado de color amarillo.

Aunque Jason la abrió con sumo cuidado, la puerta del director chirrió como para respetar un contrato con el miedo estipulado hacía siglos.

El chico encendió su linterna. Distinguió el escritorio del director, el avasallador ventilador encaramado como una lechuza en una esquina del armario y el fichero en el rincón del fondo. Caminó de puntillas. Buscó el cajón situado más abajo e intentó abrirlo. Tuvo que tirar del tirador con todas sus fuerzas, pero al final se abrió con un barrito de elefante.

—Aquí está —dijo Jason en voz alta, reconociendo la caja con los objetos confiscados.

La levantó con ambas manos y la colocó encima del escritorio. Después la abrió.

Dentro había de todo. Una pistola de agua, dos nueces esculpidas, una colección de canicas de cristal, un tebeo arrugado, una cola de zorro teñida de rojo, un montón de tarjetas de visita perfumadas, un ovillo de gomas elásticas, tres lapiceros rojos y en el fondo…

—¡El medallón de Maruk! —dijo alegre Jason, recuperando el amuleto que le habían regalado en la Tierra de Punt.

Después de todo lo que había pasado en el Jardín del Preste Juan, se merecía al menos un poco de suerte.

El chico cerró la caja y la volvió a meter en el cajón. Se quedó pensando un momento. Luego la volvió a abrir y cogió también la pistola de agua. Después ordenó el escritorio del director para que nadie se diera cuenta de su visita.

Fue entonces cuando se percató de las fotografías.

Eran tres viejas fotografías en blanco y negro. La primera era una foto de clase del año 1958, con las firmas de todos los estudiantes en el reverso. La segunda era la foto chamuscada del faro que él mismo se había traído de la Isla de las Máscaras, salvándola del incendio del laboratorio de Peter.

La tercera era una copia perfecta de la segunda foto.

En ella, además de a Leonard y Peter, se veía también a Nestor. Y en la parte de atrás estaba escrito: «Peter Dedalus, Leonard Minaxo y Ulysses Moore».

Jason salió de la habitación como una exhalación. Se dejó la puerta del despacho abierta, abrió de par en par la ventana por la que había entrado, la cerró con un alambre mientras el corazón le latía a mil por hora y se echó a correr por las calles del pueblo.

Se detuvo bajo una casa encalada y, con todo el resuello que le quedaba, gritó:

—¡RIIIIIICK!

Y aquí los tenemos a los dos de nuevo montados en bicicleta, pedaleando como locos por las curvas de la carretera del acantilado. Rick delante, de pie sobre los pedales como hacía siempre su padre, que había recorrido en bicicleta toda Inglaterra. Jason detrás, jadeante sobre el manillar rosa de la bici de la hija de los Bowen, pero decidido a pesar de todo a hablar a voz en grito durante toda la escalada:

—¡Era él el que Peter Dedalus había indicado a Oblivia, no Leonard! ¡Es la confirmación que necesitábamos!

Rick pedaleaba más fuerte.

—¿Has avisado a Julia? —preguntó tomando la curva.

—Está en casa.

—¿Todo bien con tus padres?

—Sí. ¡Se les ha olvidado todo!

—¿Tú cuánta agua de la fuente de la eterna juventud has usado?

—Medio vaso por cabeza, como nos dijo Nestor. ¿Y tú para tu madre?

Rick se dio la vuelta, riendo.

—¡Uno!

—¿Uno? ¡Tú estás loco! —jadeó Jason—. ¡Black nos dijo que no exageráramos! Y además… ya te he contado lo del Preste Juan: a fuerza de beber se ha convertido en un chiquillo incapaz de recordar nada.

—¡Pero mi madre ahora está más joven y más guapa! —respondió Rick.

—¿Y te ha dicho qué ha hecho con la Primera Llave?

—¡Qué va! Hace ya una semana que hablamos del tema. Pero… nada.

—¿Cómo que nada?

—Recuerda que la tenía. Pero no recuerda a quién se la dio.

—Mira que si se le ha olvidado por culpa tuya…

—Hago lo que puedo, Jason. ¿Qué te crees? ¡Tampoco puedo estar pidiéndole la llave todos los días! De todas formas, la última vez me ha dicho que le parecía recordar que la había regalado como premio en una rifa de beneficencia.

—¡¿Una rifa?!— gimió Jason, doblándose más sobre el manillar.

—¡Venga, muévete! —lo incitó Rick—. ¿O quieres que te gane como siempre?

—¡La Primera Llave en una rifa de beneficencia! —repitió su amigo—. No me lo puedo creer…

—Pues créetelo. Pero tranquilo: sin Oblivia rondando a nuestro alrededor podemos buscarla con mucha más calma. Lo ha dicho también Nestor…

—¡Querrás decir Ulysses!

—¿Jugamos a quién llega primero a la villa?

—¡Vale!

Cuando Jason llegó, resoplando como una locomotora, al porche de Villa Argo, Julia y Rick estaban uno al lado del otro como dos tortolitos.

—Bueno, ya vale. Por favor…

Julia levantó la mano de Rick estrechándola entre sus dedos.

—¡Es solo una mano, Jason! ¡No una enfermedad mortal!

Su hermano tiró la bici al suelo y enfiló directamente a la casa del jardinero.

—¿Adónde vas?

—A hablar con Nestor.

—No está.

—¿Y adónde ha ido?

—Al panteón.

Capítulo (25)
- El último diario -

La puerta del panteón de los Moore estaba abierta. Jason, Julia y Rick entraron en la sala circular protegida por columnas blancas y luego descendieron a los subterráneos, entre las sepulturas. La escalera olía a flores.

Nestor estaba en el pasillo de la izquierda, ante las tumbas vacías de Ulysses y de Penelope. Se esmeraba en arreglar las flores.

—¡Nestor! —lo llamaron.

El jardinero se dio la vuelta e hizo un gesto de saludo.

Los tres chicos se acercaron, un poco atemorizados. El aire era húmedo y frío y las flores despedían un perfume embriagador.

—¿Qué hacéis aquí? —preguntó Nestor—. ¿Me miráis mientras preparo… mi tumba?

—Hemos encontrado esto… —dijo Jason, tendiéndole la fotografía.

El hombre la miró, se reconoció y después movió de un lado a otro la cabeza con expresión triste.

—¿Y dónde la habéis encontrado, si se puede saber? —preguntó, devolviéndosela a Jason.

—En el colegio.

Rick dio medio paso hacia delante.

—¿Ahora admitirás la verdad?

Nestor contempló las sepulturas vacías, las flores, las tijeras de jardinero y luego propuso:

—¿Podemos hablar fuera?

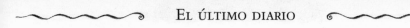

Se sentaron en los escalones del panteón. El mar era un espejo de nubes. Nestor se puso las tijeras de jardinero entre las rodillas, se quitó los guantes, dejó vagar la mirada entre los reflejos del océano y después dijo:

—Perdonadme.

Jason, Julia y Rick no respondieron y se limitaron a esperar el resto de la historia.

—Os he contado una mentira.

—Fingir durante treinta años que te llamabas Nestor es algo más que una mentira.

—Se había convertido ya en una costumbre —sonrió el jardinero—. Desde que conocí a Leonard... y me infiltré en su foto de clase diciendo que me llamaba Nestor... ya nunca dejé de usar ese nombre. Es como si hubiera tenido un gemelo.

Cuando acabó de hablar, el jardinero miró primero a Julia y luego a Jason.

—Como si uno de vosotros dos... hubiera inventado al otro. Y después se lo hubiera creído. Sabéis: fingirse el propio jardinero era una manera fantástica para que nadie me molestara y poder hacer así lo que quisiera. Y después... cuando Penelope murió... fingir no ser Ulysses Moore era el mejor modo de alejar el dolor. Yo... yo me siento mucho más Nestor que Ulysses. Ulysses era un viajero, con una mujer maravillosa y amigos inolvidables. Mientras que Nestor... es solo un viejo jardinero que camina cojeando.

—¿Quién estaba al corriente?

—Solo los amigos.

—¿Y por qué ninguno de ellos nos ha dicho nunca nada?

—Porque yo les pedí que no lo hicieran. Pero ahora sabéis la verdad. Tenéis ante vosotros lo que queda de Ulysses Moore. Y Ulysses Moore no tiene muchas ganas de... que lo reconozcan.

—¡Caray, Nestor! —saltó Jason—. ¡Todos tus diarios y todo el trabajo que hemos tenido que hacer para seguir tus indicaciones! ¿No nos lo podías haber dicho antes?

Él sonrió.

—Os habría dejado sin la mitad de la diversión.

—¡Pero nosotros hemos arriesgado la vida por ti!

—Y yo por vosotros. No creía que llegaríais tan lejos. Lo esperaba, eso sí, a pesar de que Leonard pensaba que yo era solo un viejo iluso. Mi idea era simplemente que unos chicos, como éramos nosotros entonces, pudieran volver a abrir las Puertas del Tiempo. Y, de hecho, pocos días antes de vuestra llegada a Villa Argo, recibí la notificación de correos. —Ulysses Moore sonrió.

—¿Así que... no fuiste tú quien nos mandó las llaves?

—No, llegaron a vosotros, como me llegaron a mí.

Jason sacudió la cabeza.

—Un momento... Hay algo que no me cuadra.

—¿Qué?

—Mi caída por el acantilado. Si yo no hubiera resbalado ese día y no me hubiera agarrado a la roca y... no hubiera encontrado el mensaje secreto...

Ulysses asintió.

–No habría dejado que encontrarais nunca la notificación de correos. –Luego se explicó–: Había decidido que, si encontrabais uno de los mensajes secretos que había escondido en Villa Argo, os permitiría dar el siguiente paso. En caso contrario, quería decir que me había equivocado y que había que poner punto final a esta historia.

–¿Uno de los mensajes secretos? –preguntó Julia.

–Escondí uno también en el sicomoro del jardín. Y otro en un compartimento secreto de detrás de la librería.

Los chicos se miraron con los ojos abiertos de par en par.

–¡Yo quería subir a aquel árbol! –exclamó Jason.

–Pero ¿por qué lo has hecho? –preguntó Julia.

Ulysses Moore sonrió.

–Vosotros veníais de la ciudad, como yo. Y os echasteis enseguida un amigo en el pueblo, como hice yo también.

Rick sonrió.

–Pero no podía estar seguro de que os gustaran los misterios y las aventuras, incluso peligrosas, que este pueblecito escondía. Me quedé observándoos y ayudándoos siempre que podía…

–Las maquetas de los barcos y los diarios de la torre… –recordó Julia.

–Exacto. Y dándoos algunas pistas aquí y allá… A veces habéis ido más allá de cualquier expectativa, como cuando encontrasteis el disco en el tablero de ajedrez de Peter. Hasta ese momento me faltaba una pieza de la historia y el

motivo por el que Peter había desaparecido de manera tan repentina.

—¿Lo hemos descubierto nosotros?

—Al igual que muchísimas otras cosas que yo no sabía.

—¿Sobre los constructores de puertas?

—Yo no he descubierto nunca nada sobre ellos. A pesar de todos los viajes. Después de la vez que corrimos el riesgo de no poder regresar, Penelope y yo decidimos cerrar las puertas y no indagar más sobre sus constructores.

—Fue el viaje en el que Leonard…

—Exacto. El viaje en el que casi se lo come un tiburón.

—¿Y por qué cambiaste de idea después? —preguntó Julia.

—Para intentar detener a Oblivia —sonrió Ulysses.

—Bueno, ¡también nosotros hemos arriesgado la vida! —exclamó Jason—. ¡En Venecia, en la Isla de las Máscaras!

—Pero ha valido la pena —susurró Rick.

Un remolino de viento sopló desde el mar.

—Tienes que contarnos todavía un montón de cosas —dijo Julia—. Ahora que te hemos encontrado y que yo he encontrado tus diarios cifrados…

Ulysses resopló.

—Oh, esos. No cuentan nada que vosotros no sepáis.

—¿Qué quieres decir?

—Hablan de vosotros —confesó Ulysses Moore.

Los muchachos se quedaron con la boca abierta. Fue Jason el primero en murmurar:

—¿De nosotros?

—Exactamente. De cómo habéis vuelto a abrir las puertas y de cómo habéis desvelado los secretos de Kilmore Cove. He añadido mis viejos dibujos y alguno más reciente, pero...

—¿Por qué los has escrito en clave?

—Porque no estaba seguro de que vosotros... lograríais derrotar a Oblivia.

—¿Y ahora?

—Ahora sé que las cuatro llaves están en buenas manos. Y que, durante algún tiempo, permanecerán así.

—Háblanos de Penelope... —susurró Julia—. ¿Había nacido de verdad en la Venecia del siglo XVIII?

El jardinero se puso de pie y miró hacia el mar.

—Sí. De verdad. La conocí durante un viaje que hice con mi padre. Después ya no fui capaz de pensar en nada ni en nadie más que en ella... —confió Ulysses—. No me importaba nada Kilmore Cove ni Villa Argo. Y después de muchos meses en ese estado... mi padre se ofreció para ir a vivir a Venecia, de manera que ella tuviera la posibilidad de venir aquí. Y así fue... Por lo menos hasta que ella... se cayó desde el acantilado.

Los chicos se miraron entre sí.

—Luego, cuando Peter huyó a Venecia, mi padre encontró la puerta de la calle del Amor de los Amigos abierta y volvió a Villa Argo, donde murió en paz poco después. Por eso está enterrado aquí, en el panteón familiar.

—Y Peter no pudo volver, porque la puerta estaba cerrada.

—Exacto —respondió Ulysses Moore.

En ese momento un ruido los sobresaltó. Jason, Julia y Rick pegaron un respingo en los peldaños y miraron hacia atrás, hacia el panteón.

—¿Qué ha sido eso?

—Ah, eso… —respondió Ulysses, con esa expresión taimada que los chicos habían aprendido a conocer bien—. Eso creo que será nuestro próximo problema.

—¿Qué quieres decir?

El viejo se puso los guantes de jardinero, mientras en el panteón resonaba de nuevo el ruido, esta vez seguido de una voz rasposa:

—¡*Har har!*

Jason y Rick la reconocieron al instante.

—¡Eh! —exclamaron al unísono—. Parece la risa de… ¡Pero no puede ser!

—Pues yo creo que sí puede ser, chicos —opinó Ulysses Moore—. Creo que Manfred y Gwendaline, en su fuga a Egipto, han dejado la puerta… abierta.

Julia miró a Rick y a Jason sin entender nada.

—Bueno, podríais explicarme algo a mí también, ¿no?

—¡Dinos que no es verdad! —exclamaron los dos amigos sin hacerle caso. Y entraron en el panteón con el jardinero.

Dentro vieron a un viejo con la mirada lechosa, que llevaba un gigantesco cocodrilo sujeto con una correa.

—¡*Har, har!* —exclamó el viejo dueño de la Tienda de los Mapas Olvidados—. ¡Pero mira quién está aquí! Lengua Afilada y Corazón Impertérrito.

Al ver el cocodrilo, Julia pegó un grito, incrédula.

—¡Tranquilo, Talos! ¡Tranquilo! —ordenó el hombre, tirando de la correa de cuero—. ¿No reconoces a tus viejos amigos?

Jason, Julia y Rick miraron a Ulysses.

—¿Y ahora qué hacemos?

—Vosotros sois los Caballeros de Kilmore Cove —respondió Ulysses Moore—. Vosotros tenéis las cuatro llaves. Decidid vosotros qué hacer.

Jason, Julia y Rick caminaban por la hierba tupida de Turtle Park. Nubes redondas danzaban en el cielo, atornillándose ante el sol. Un viento cargado de salitre mantenía las gaviotas suspendidas en el cielo y confundía las voces de su encendida y acalorada discusión.

—¡Deben entrar en casa cuando papá y mamá no estén!

—¿Te imaginas a mamá con un cocodrilo?

—¿Y tú te imaginas al cocodrilo bajando por el tobogán?

—Pero sin olvidar que hace falta llevarlos lo antes posible al lugar de donde han venido.

—Y tenemos que encontrar a Manfred y a Gwendaline.

—Y saludar a Maruk.

—¿Y Peter? ¿Qué hacemos con Peter?

—Está en Venecia.

—Pero ¿tendrá dificultades?

—No creo. Si consiguió escribir aquel mensaje, quiere decir que ha encontrado a los Caller.

—Quizá deberíamos invitarlos a todos aquí.

—Quizá sería mejor que recuperáramos la llave del león.

—¿Y quién la tiene?

—Manfred.

—Para compensar, sin embargo, tenemos todas esas llaves nuevas que no hemos usado nunca…

—Y tenemos también todos los diarios de Ulysses Moore. ¡Por fin!

—Por no hablar del mismísimo Ulysses Moore en persona.

—¡Si tu madre consiguiera recordar qué ha sido de la Primera Llave!

—En realidad, quitando lo de Ulysses Moore, no hemos descubierto nada… No sabemos dónde está la Primera Llave, ni quiénes son los constructores de puertas.

—Un momento…

—¿Qué?

—¡Las cuatro llaves!

—Las tengo yo, Jason.

—No, quiero decir, ¡las cuatro llaves!

—Vale. Ya te hemos oído. Las cuatro llaves. ¿Y?

—Cuando fuimos a felicitar a Calypso por su boda…

—¡Uf! Solo pensar que tengo que leer todavía todo el…

—¿Recordáis lo que nos dijo? «Cuando os di las cuatro llaves, hicimos un trato.»

—¿Y?

–¿No lo entendéis? Nosotros fuimos a correos a recoger un paquete. Pero ¿cómo sabía Calypso que... dentro del paquete de correos estaban las cuatro llaves? ¡Ninguno de nosotros se lo ha dicho!

El viento danzaba entre la hierba y ascendía por la ladera de la colina.

Los chicos estaban junto a la caseta blanca de las herramientas.

El lugar en el que los chicos de ese gran verano habían conocido a Calypso y a sus dos caniches blancos.

–A Ulysses Moore le llegaron las llaves por correo. Pero no sabe quién fue el remitente.

–¿Quieres decir que... Calypso...?

–¿Podría ser...?

–¿Una constructora de puertas?

Jason empujó la puertecita de entrada.

Había entrado por primera vez allí para ayudar a Leonard Minaxo a llevar rodando un barril de pez.

–No lo sé, chicos –dijo–. Pero creo que tendríamos que descubrirlo.

En el muro de cal estaban todavía grabados los nombres del gran verano:

Leonard
Peter
Black
Clitennestra

Y más abajo, casi ilegible:

Ulysses

—¿Tenéis un sacapuntas? —preguntó Jason a su hermana y a Rick.

Ellos no respondieron.

Se habían quedado fuera. Y se estaban besando.

Jason los miró. Después se agachó, cogió del suelo una piedra con el borde afilado y grabó en el muro de la caseta sus tres nombres.

A Wise Old Owl

Capítulo (26)
- Vacaciones en Venecia -

os días siguientes fueron muy complicados para Fred Duermevela. La Vieja Lechuza no quería saber nada de ponerse en funcionamiento: la boda entre Leonard y Calypso había hecho que estallara. Y de repente a todos se les había ocurrido que tenían que pedir documentos.

—No había visto nunca tanta gente junta —se quejó al padre Phoenix esa tarde—. Hasta Nestor ha venido a hacer unas gestiones.

—¿Nestor?

—Sí. Ha dicho que la Vieja Lechuza había cometido un error. ¡Imagínate! «La Vieja Lechuza no comete errores —le he dicho yo—. La proyectó Peter. Y Peter era muy meticuloso.» —Fred se tragó una pinta de sidra. Luego pidió otra y prosiguió—: Pero Nestor estaba convencido, así que he revisado los archivos una y otra vez, y al final he hecho yo directamente la corrección. El viejo Nestor ha querido eliminar su nombre de los archivos y cambiarlo por el de Ulysses Moore, alegando que no había muerto en el mar. —Fred Duermevela bostezó—. Si él lo dice…

—Será verdad. Y todos tan contentos —concluyó el padre Phoenix, dándole a Fred una generosa ración de palmaditas en los hombros.

—¡Sí, todos menos yo! Tengo los dedos tan doloridos que no sería capaz ni siquiera de ponerme un triste calcetín viejo.

—A lo mejor necesitas unas vacaciones, Fred.

—Pues sí —masculló el funcionario—. Unas buenas vacaciones es lo que me haría falta. En la montaña. Con el frío. En un sitio frío de verdad.

—Brrr… —se estremeció el padre Phoenix—. No creo que sea ese el mejor modo de relajarse.

—O si no, Venecia —añadió Fred—. Eso, sí: Venecia sería fantástico. Es una pena que esté un poco… lejos.

—Pues sí, lejos lo está, la verdad.

—¡Pero merecería la pena! —exclamó el funcionario, tragándose también la segunda jarra—. Eso es, decidido. Le digo a mi hermano que me lleve y… ¡me voy de vacaciones a Venecia! Hasta la vista, padre.

—Hasta la vista, Fred —lo saludó el sacerdote, alegre.

Fred hizo exactamente lo que había dicho. Fue al taller de su hermano y le pidió que lo llevara en coche hasta una carretera sin asfaltar que se encontraba en dirección oeste, fuera de Kilmore Cove.

—Puedes dejarme aquí —dijo, bajando del coche.

El mecánico estaba habituado a las rarezas de su hermano, así que volvió a poner en marcha el coche sin hacer preguntas.

Fred estaba de un humor estupendo. Fue dando brincos por la carretera hasta llegar a una casa muy especial. Se quedó un poco preocupado al ver aparcada allí una enorme excavadora, peligrosamente inclinada hacia un lado. En uno de los laterales podía leerse:

EMPRESA DE DERRIBOS
CYCLOPS & CÍA.

La Casa de los Espejos había sufrido algunos daños. La puerta de entrada había sido derribada. Pero dentro de la casa las lechuzas descansaban sin que nadie las molestara.

—Oh… —murmuró Fred, preguntándose qué habría pasado—. Aquí debe de haber pasado algo gordo…

Hurgó en sus bolsillos. Se tocó el cuello. Por un momento pensó que no la había cogido.

Después sus dedos tocaron lo que estaba buscando. La sacó. Era la llave con tres tortugas que había ganado en la rifa de beneficencia del pueblo.

La introdujo en la cerradura y abrió la Puerta del Tiempo de Peter Dedalus.

—¡Unas buenas vacaciones! —exclamó Fred Duermevela, sumergiéndose en uno de los muchos sueños por los que se había hecho merecedor de aquel apodo—. ¡Aunque solo sea un día!

Nota para el lector

Queridos lectores:
Finalmente el misterio de Ulysses Moore y de sus diarios ha quedado desvelado: Nestor y Ulysses son la misma persona. Poco antes de enviar a la imprenta este último cuaderno, hemos recibido otra carta de Pierdomenico. También esta vez viene de Kilmore Cove…

¡Hola a todos!

Os cuento lo que ha pasado: los diarios de Ulysses Moore pasaron a Calypso, quien a su vez los llevó al *bed & breakfast* de Zennor junto con el baúl, que había permanecido durante todos esos años en la casa del jardinero de Villa Argo.

No lograré averiguar nunca, creo, por qué entre todos los escritores del mundo, Calypso me escogió a mí. Pero no le estaré nunca lo suficientemente agradecido.

Ahora que he acabado de traducir también el sexto diario, entiendo por qué era tan importante que el nombre de Ulysses Moore apareciera en la portada de los libros: al fin y al cabo, ha sido él quien me ha proporcionado el material para escribir esta historia. Sé que cuando oiga hablar de Cornualles, Venecia o el Antiguo Egipto no podré evitar pensar que estos lugares, y quién sabe cuántos más, están conectados entre sí por las Puertas del Tiempo. Y que hay tres chicos, Jason, Julia y Rick, que están explorándolos justo en este momento, mientras yo escribo. Y vosotros leéis.

He ido a Venecia a buscar la casa de Penelope. En el segundo piso, en una habitación que da al pequeño patio interior de los Caller, he visto su retrato. Era una joven rubia muy hermosa, de una dulzura infinita. Puedo imaginar lo que debió de significar para Ulysses perder a una mujer así. Él no habla nunca del tema. Es como si conservara la esperanza de que Penelope no hubiera muerto realmente al caer por el acantilado.

¿Y si estuviera viva?

Ahora es tarde y tengo que despedirme. Ha sido estupendo haber podido compartir todo este tiempo con vosotros.

Me he comprado por fin un reloj, ¿sabéis? En el centro de la esfera puede verse una lechuza y las iniciales P. D. A quien me pregunta dónde lo he encontrado le respondo: en un pueblo que no existe.

Pierdomenico

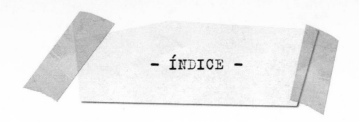

- ÍNDICE -

Si queréis entrar en Villa Argo
y descubrir todos sus misterios, visitad la página

www.ulyssesmoore.es

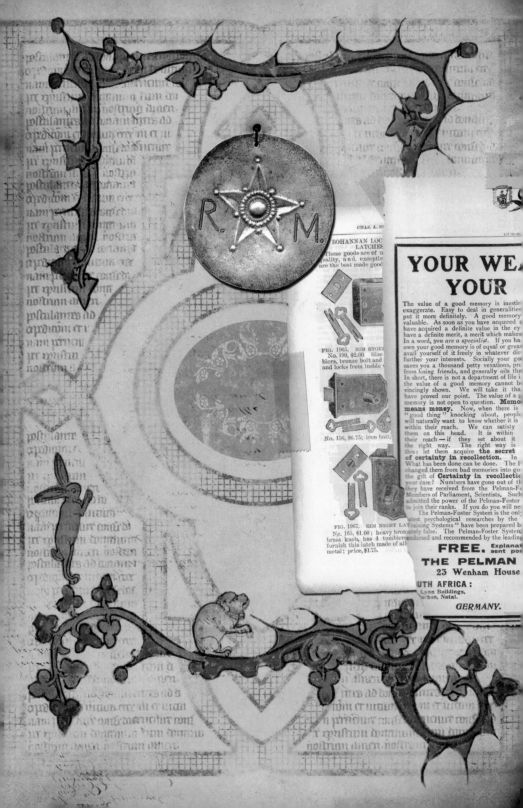